MÉTHODE DE FRANÇAIS NIVE

STUDIO 60

Christian Lavenne

Évelyne Bérard
Gilles Breton
Yves Canier
Christine Tagliante

Table de références des textes et crédits photographiques

Intérieur : p. 7 : N. Rakhmanov/ANA (hg) ; Pictor (hc, bd) ; Galia/Jerrican (hd) ; A. Wolf/Explorer (bg) ; G. Simeone/Diaf (bc) - **p. 8 :** A. le Bot/Gamma (1) ; © 2001, Les Editions Albert Rene/Goscinny-Uderzo (3) ; tableau de Auguste Renoir, Reader, Musée d'Orsay, Paris/Giraudon (4) ;R. Cesar/Agence Top (6) ; Darque/Jerrican (8) - **p. 9 :** Associated Press/El País (1) ; L. Troude/Libération (2) ; Kommepcaht (3) ; M. White/E. MacAskill, N. Watt, S. Bates/T. Clarke/Reuters/The Guardian (4) - **p. 10 :** S. Arnal/Stills (hg) ; CAMHL/Stills (bd) - **p. 11 :** E. Philippotin/Rapho (1) ; Spot/SDP (2) ; Pictor (3) - **p. 14 :** London Features International/Cosmos (1) ; D. Fisher/Cosmos (2) ; D. Charriau/Stills (3) - **p. 23 :** Marguerite Bruno/RATP (5) - **p. 24 :** F. Durand/Sipa (hc) ; J.M. Armani/Rapho (hd) ; G. Engel/Urba Images (bg) ; P. Dale/Sipa (bd) - **p. 25 :** G. Bocca/La Repubblica (hg) ; Christophe L (hd, bg) - **p. 28 :** B. Marguerite/RATP (6) - **p. 33 :** Pictor (hd) ; Gilles Breton (1) ; M. Benichou/Urba Images (2) ; F. Achdou/Urba Images (4) - **p. 36 :** Pictor (1, 4) ; G. Simeone/Diaf (2) ; R. van der Hilsa/Gamma (hd) - **p. 37 :** B. Machet/Hoa-qui (hg) ; G. Orion/Urba Images (hd) ; F. Charel/Hoa-qui (bg) ; G. Giansanti/Sygma (bd) - **p. 45 :** Pictor (1) ; Jaubert/Sipa Images (2) ; M. Cristofori/ASK Images (3) - **p. 46 :** D. Lefrac/Kipa (1) ; L. Gordon/Image Bank (hd) ; P. Wysocki/Explorer (2) ; Eurasia Press/Diaf (3) ; Lipnitzki/Explorer (4) ; Terebenine/Artephot/© Succession Picasso 2001 (6) - **p. 48 :** D. Schneider/Urba Images (1) ; Bassignac/Gamma (2) ; Ex-Leroux/Explorer (3) - **p. 49 :** Stills - **p. 59 :** Banque de France ; Monnaie de Paris - **p. 62 :** Jephro - **p. 68 :** L. Gibet/Rapho (bd) - **p. 75 :** Trip/A. Turney/ASK Images (1) ; R. Doisneau/Rapho (2) - **p. 82 :** Futuroscope (hd) ; Le point (bg) - **p. 88 :** J.M. Marcel/La Documentation Française (hg) ; SAS-Rey/Gamma (hd) ; Giribaldi/Gamma (mg) ; G. Freund/La Documentation Française (md) ;B. Rheims/ La Documentation Française (mbg) ; Le Bacquer/Explorer (bg) - **p. 90 :** F. Bouillot/Marco Polo (hg, hd) ; M. Brinson/Image Bank (hm) - **p. 96 :** J.M. Thomas/ANA (hm) ; J. Du Sordet/ANA (hd) ; Lipnitzki/Roger Viollet (bg) ; Roger Viollet (bd) - **p. 97 :** A. Le Bot/Diaf (1) ; L. Wallach/Image Bank (5) ; Transgolbe/Jerrican (6) - **p. 99 :** Le Parisien (1) ; château de Montrottier/office de tourisme d'Annecy (3) - **p. 103 :** Les Idiomatics français-anglais, dessins Nestor Salas, Initial Groupe/© Editions du Seuil, 1989 ; Les Idiomatics français-espagnol, dessins Nestor Salas, Initial Groupe/© Editions du Seuil, 1989 ; Les Idiomatics français-néerlandais, dessins Nestor Salas, Initial Groupe/© Editions du Seuil, 1991 ; Les Idiomatics français-italien, dessins Nestor Salas, Initial Groupe/© Editions du Seuil, 1990.

Nous avons recherché en vain les auteurs ou les ayants droit de certains documents reproduits dans ce livre. Leurs droits sont réservés aux Éditions Didier.

Photographes :
Anna Vetter/Ed. Didier : p. 8 (7), p. 23 (1, 3, 6), p. 25 (mg), p. 28 (1, 2, 3, 4, 5), p. 33 (3), p. 36 (3), p. 46 (5), p. 59 (bd), p. 92, p. 97 (2, 4).
Rémy Buttigieg-Sana/Ed. Didier : p. 8 (2, 5), p. 25 (bg), p. 26, p. 48 (mg, 4), p. 53, p. 59 (bg), p. 62, p. 68 (hd), p. 97 (3), p. 100.

Dessinateurs :
Didier Crombez : pp. 15, 24, 26, 29, 31, 34, 38, 53, 57, 63, 65, 78, 80, 81, 83, 94 (bd), 98.
Paul Gendrot : pp. 12, 17, 22, 47, 52, 64, 76, 87, 91.
Dom Jouenne : pp. 16, 18, 19, 20, 27, 30, 35, 39, 50, 54, 56, 60, 61, 67 (bd), 77, 79, 85, 89, 93, 95, 97, 101.
Rony Turlet : pp. 13, 21, 28, 32, 48, 51, 55, 58, 66, 67 (h), 84, 86, 94 (h).

Nous dédions cet ouvrage à Pierre Berringer avec qui, après Tempo,
nous avons commencé à élaborer le projet Studio.

Bon vent, Pierre
Tendresse

Les auteurs

Couverture : François Huertas
Conception maquette et mise en pages : François Huertas
Photogravure : ParisPhotoComposition

© Les Éditions Didier, Paris 2001   ISBN 2-278-04985-2   Imprimé en France

L'ensemble didactique *Studio* propose deux formules : *Studio 60* pour une formation de 60 heures et *Studio 100* pour une durée de 100 heures.

La progression de l'apprentissage et les contenus des deux manuels sont totalement originaux. En revanche, la démarche pédagogique de *Studio 60* et de *Studio 100* est la même : elle est basée sur des principes communs.

Studio 60 convient soit à un enseignement annuel (2 heures par semaine), soit à des enseignements intensifs (sur un mois ou deux mois).

Studio 100 est orienté vers un enseignement trimestriel ou semestriel.

Studio 60

60 heures d'apprentissage

Studio 60 est destiné aux grands adolescents et aux adultes. *Studio 60* niveau 1 a été conçu en vue d'une utilisation ne dépassant pas 60 heures en présentiel. Les activités d'apprentissage qu'il propose ont été calibrées pour répondre à cette contrainte. Dans le *Guide du professeur*, l'enseignant trouvera, pour chaque activité, une indication de durée, qui, si elle est respectée, lui permettra une répartition optimale des contenus.

Une progression originale

La progression de *Studio 60* propose un apprentissage en spirale : apprentissage, reprise, anticipation. Elle est basée sur l'acquisition de savoir-faire linguistiques relativement complexes (demander / donner de l'information, réagir / interagir, parler de soi et de son vécu). L'apprenant peut très rapidement les mettre en œuvre à l'aide des outils linguistiques de base, qu'il acquiert en réalisant des tâches communicatives simples. Chacune de ces tâches est conçue de façon à ce que l'apprentissage de la grammaire se fasse dans un but de communication.

Des séances, des séquences et des parcours

Studio 60 propose trois **parcours** de 20 heures d'apprentissage chacun. Chaque parcours est composé de **séquences** (quatre séquences de cinq heures par parcours). Ces séquences se divisent naturellement en **séances**, qui correspondent chacune à une séance de cours.

Une séquence est donc une unité courte d'enseignement qui amène l'apprenant à maîtriser un savoir-faire complet directement réutilisable.

Un parcours propose un savoir-faire global. C'est un ensemble qui comprend trois séquences d'apprentissage et une séquence de reprise / anticipation. La **reprise** des objectifs d'apprentissage permet la fixation des acquis. L'**anticipation** permet d'appréhender de façon souple et légère les objectifs à venir.

Approche retenue

Elle se fonde sur une analyse de la langue en termes de capacités. La maîtrise de ces capacités doit permettre à l'apprenant de communiquer de façon simple dans des situations de la vie quotidienne. Cette approche méthodologique s'appuie sur les travaux du Conseil de l'Europe et en particulier sur les recherches décrites dans le *Cadre européen commun de référence[1]* pour l'apprentissage, l'enseignement et l'évaluation des langues vivantes.

Dans *Studio 60*, chacun des descripteurs du niveau A1 de la grille de référence du *Cadre* fait l'objet d'une ou de plusieurs activités d'apprentissage, en ce qui concerne les quatre aptitudes classiques de compréhension et d'expression écrites et orales, auxquelles a été ajoutée l'interaction orale.

Les trois composantes de la compétence communicative sont mises en œuvre progressivement et de façon le plus souvent systémique.

La composante linguistique, qui a trait aux savoirs et aux savoir-faire relatifs au lexique, à la phonétique, à la sémantique et à la morphosyntaxe est toujours considérée sous l'angle de la communication. Chaque outil linguistique est introduit en fonction des savoir-faire communicatifs à acquérir. Dans la troisième séquence de chaque parcours, certains de ces outils font l'objet d'une systématisation (reprise) ou d'une anticipation (première approche).

Deux domaines thématiques ont été privilégiés : le domaine public, qui renvoie à des échanges sociaux ordinaires, et le domaine personnel, qui comprend aussi bien l'expression des goûts et des opinions que les relations familiales.

La composante sociolinguistique, qui renvoie aux conditions socioculturelles de l'usage de la langue est présentée de façon à ce que l'apprenant puisse appréhender la réalité de la culture francophone (codes des relations sociales, registres de langue, règles de politesse…), mais puisse aussi transmettre et échanger des informations liées à sa propre culture, son environnement, son mode de vie, dans une approche interculturelle.

La composante pragmatique n'est pas laissée de côté : certains aspects de la compétence discursive et fonctionnelle, les usages gestuels, les mimiques sont étudiés. Ils vont permettre à l'apprenant de mettre en œuvre ses moyens langagiers de façon cohérente.

Les activités langagières

La compétence à communiquer est privilégiée. Elle est mise en œuvre à travers des activités langagières variées et le plus souvent ludiques, qui relèvent de la réception, la production et l'interaction. Des cartouches signalent concrètement la capacité travaillée :

Dès le début de l'apprentissage, les activités mettent en jeu des capacités croisées. Les dialogues sont proches de l'authentique, ils reprennent ce qu'un non-francophone pourrait lire ou entendre s'il était en contact avec des francophones. La langue est vraie, vivante, amusante, elle véhicule du sens et est ainsi un témoignage direct de l'acte de communiquer.

Les tâches communicatives

Limitées et globales au début de l'apprentissage, elles deviennent rapidement plus fines et sont toutes conçues de façon à permettre une communication authentique au sein de la classe. L'apprenant s'implique, réagit en fonction de sa personnalité, exprime ses propres opinions, bref, « parle vrai ».

Les exercices

Intégrés à chaque séquence, ils permettent d'approfondir concrètement l'objectif visé. À la fin de chaque parcours, des exercices complémentaires sont proposés, afin que l'apprenant s'exerce, seul ou en groupe, à manipuler les structures apprises. L'enseignant et l'apprenant disposent ainsi d'une batterie d'environ 150 exercices qui reprennent l'ensemble des objectifs du manuel.

L'évaluation

Présente à la fin de chaque parcours, pour chacune des capacités (expression et compréhension écrites et orales), elle permet de faire le point sur ce qui est réellement acquis, en cours d'acquisition, ou non encore maîtrisé.

À l'issue des 60 heures d'apprentissage, une épreuve complète de l'unité A1 du DELF[2] 1er degré est proposée.

Les auteurs

Passage à l'euro : vous trouverez, dans cet ouvrage, des références au franc qui avait cours légal au moment de son élaboration. Cependant, autant que possible, les francs ont été convertis en euros lors de la réimpression.

---

1. *Cadre européen commun de référence*, Conseil de l'Europe, Division Langues vivantes, Didier, Paris, 2001.
2. DELF : Diplôme d'études en langue française, délivré par le ministère français de l'Éducation nationale. On peut consulter la liste des 130 pays qui le proposent à l'adresse : http://www.ciep.fr.

Objectifs d'apprentissage

PARCOURS 1 : Demander et donner de l'info

À la fin de ce parcours, l'apprenant sera capable de demander et de donner des informations et de comprendre les réponses obtenues. Il saura identifier et décrire de façon simple des personnes et des lieux et pourra s'adresser aux gens en utilisant *tu* ou *vous*. Il pourra se situer dans le temps et dans l'espace et quantifier. Il pourra également parler de son environnement. Il disposera pour cela des outils linguistiques de base : les verbes usuels au présent, les articles, les prépositions, le masculin / féminin, le singulier / pluriel, les possessifs, etc. Il aura découvert, en outre, certaines réalités culturelles ou socioculturelles telles que les fêtes en France, les horaires, les congés, les activités quotidiennes des Français.

SÉQUENCE 1
Le français, c'est facile

OBJECTIFS

SAVOIR-FAIRE
- identifier des personnes
- interagir : *tu* / *vous*

GRAMMAIRE
- les verbes *être, s'appeler* au présent
- masculin / féminin
- c'est un / c'est une

LEXIQUE
- professions
- nationalités

PHONÉTIQUE
- intonations expressives, questions, affirmations
- [y] / [u]
- un / une

ÉCRIT
- comprendre des messages simples, mettre la ponctuation

CULTURES
- salutations

SÉQUENCE 2
Que connaissez-vous de la France ?

OBJECTIFS

SAVOIR-FAIRE
- se situer dans le temps et dans l'espace
- quantifier
- demander, donner une information

GRAMMAIRE
- les prépositions
- l'apostrophe
- le verbe *aller*

LEXIQUE
- jours, mois, saisons
- lieux de la ville
- nombres

PHONÉTIQUE
- [s] / [z]

ÉCRIT
- compléter des fiches et un emploi du temps

CULTURES
- les fêtes en France

SÉQUENCE 3
Anticipation / reprise

OBJECTIFS

SAVOIR-FAIRE
- se situer dans le temps
- demander et donner l'heure

GRAMMAIRE
- le passé composé
- les possessifs
- le pronom *on*

LEXIQUE
- verbes d'action
- relations familiales

PHONÉTIQUE
- [ɔ̃] /[ɑ̃]

CULTURES
- les horaires

SÉQUENCE 4
Cadres de vie

OBJECTIFS

SAVOIR-FAIRE
- situer et décrire des lieux et des personnes
- parler de son environnement

GRAMMAIRE
- le verbe *avoir*
- le pluriel
- les prépositions
- les articles définis / indéfinis
- les nombres au-delà de 100
- la négation

LEXIQUE
- environnement

PHONÉTIQUE
- [ɑ̃] / [ɛ̃] et [p] / [b]

ÉCRIT
- comprendre un texte informatif simple
- rédiger un texte descriptif

CULTURES
- les congés, les activités quotidiennes, les villes de France

PARCOURS 2 : Réagir, interagir

À la fin de ce parcours, l'élève sera capable de réagir en exprimant ses goûts et ses opinions. Il pourra commencer à se situer dans le passé. Il saura caractériser brièvement les personnes, les lieux et les objets. Il sera également capable de proposer et d'accepter ou de refuser des propositions. Il disposera pour cela des verbes usuels au passé composé, d'une première approche de l'imparfait, du conditionnel de politesse, de l'impératif, des démonstratifs, des partitifs, etc. Il continuera à apprécier certains aspects culturels ou socioculturels de la France.

SÉQUENCE 5
Moi, je...

OBJECTIFS
SAVOIR-FAIRE
• exprimer ses goûts et ses opinions
GRAMMAIRE
• les démonstratifs
• les pronoms compléments
LEXIQUE
• goûts et opinions
PHONÉTIQUE
• intonations positives ou négatives
ÉCRIT
• rédiger un texte de présentation

SÉQUENCE 6
Renseignements

OBJECTIFS
SAVOIR-FAIRE
• demander, donner un renseignement
• localiser
• quantifier
GRAMMAIRE
• du / de la / des
• le conditionnel de politesse
LEXIQUE
• commerces, alimentation
PHONÉTIQUE
• [b] / [v]
ÉCRIT
• utiliser des documents écrits pour donner une information
CULTURES
• gestes et mimiques

SÉQUENCE 7
Anticipation / reprise

OBJECTIFS
SAVOIR-FAIRE
• se situer dans le passé
• caractériser
GRAMMAIRE
• le passé composé
• le verbe *aller* au passé composé
• le pluriel
LEXIQUE
• verbes d'action
PHONÉTIQUE
• [ʃ] / [ʒ] / [z]
ÉCRIT
• rédiger une carte postale
CULTURES
• l'euro

SÉQUENCE 8
D'accord ? pas d'accord ?

OBJECTIFS
SAVOIR-FAIRE
• proposer, accepter, refuser
GRAMMAIRE
• l'impératif
• le conditionnel
LEXIQUE
• acceptation, refus
ÉCRIT
• rédiger un message pour proposer, accepter ou refuser
CULTURES
• les repas en France

PARCOURS 3 : Parler de soi et de son vécu

À la fin de ce parcours, l'élève sera capable de parler de lui, de ce qu'il a fait ou n'a pas fait, d'évoquer des événements passés ou à venir. Il pourra comparer ses goûts avec quelqu'un, argumenter de façon simple, donner des informations sur les autres, décrire quelqu'un physiquement. Il pourra parler du temps qu'il fait et rapporter le contenu d'une lettre. Il disposera pour cela de l'imparfait, du passé composé avec *être* et *avoir*, du futur, du pronom relatif *qui*, des négations complexes. Il découvrira les grands événements qui ont marqué la France, la journée type d'un Français, des proverbes et des dictons et pourra comparer ces éléments avec ce qui se passe ou s'est passé dans son pays.

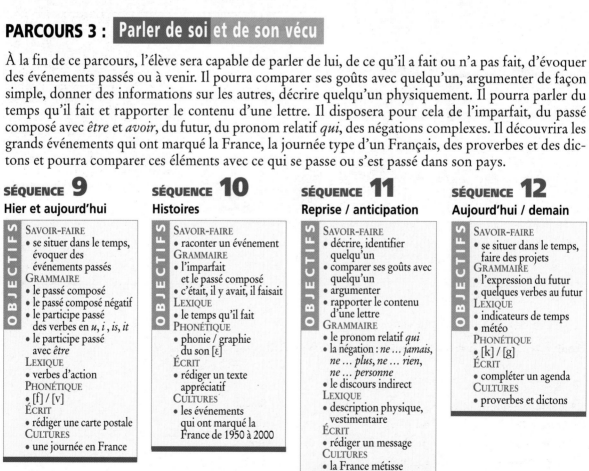

SÉQUENCE 9
Hier et aujourd'hui

OBJECTIFS
SAVOIR-FAIRE
• se situer dans le temps, évoquer des événements passés
GRAMMAIRE
• le passé composé
• le passé composé négatif
• le participe passé des verbes en *u, i , is, it*
• le participe passé avec *être*
LEXIQUE
• verbes d'action
PHONÉTIQUE
• [f] / [v]
ÉCRIT
• rédiger une carte postale
CULTURES
• une journée en France

SÉQUENCE 10
Histoires

OBJECTIFS
SAVOIR-FAIRE
• raconter un événement
GRAMMAIRE
• l'imparfait et le passé composé
• c'était, il y avait, il faisait
LEXIQUE
• le temps qu'il fait
PHONÉTIQUE
• phonie / graphie du son [ɛ]
ÉCRIT
• rédiger un texte appréciatif
CULTURES
• les événements qui ont marqué la France de 1950 à 2000

SÉQUENCE 11
Reprise / anticipation

OBJECTIFS
SAVOIR-FAIRE
• décrire, identifier quelqu'un
• comparer ses goûts avec quelqu'un
• argumenter
• rapporter le contenu d'une lettre
GRAMMAIRE
• le pronom relatif *qui*
• la négation : *ne ... jamais, ne ... plus, ne ... rien, ne ... personne*
• le discours indirect
LEXIQUE
• description physique, vestimentaire
ÉCRIT
• rédiger un message
CULTURES
• la France métisse

SÉQUENCE 12
Aujourd'hui / demain

OBJECTIFS
SAVOIR-FAIRE
• se situer dans le temps, faire des projets
GRAMMAIRE
• l'expression du futur
• quelques verbes au futur
LEXIQUE
• indicateurs de temps
• météo
PHONÉTIQUE
• [k] / [g]
ÉCRIT
• compléter un agenda
CULTURES
• proverbes et dictons

PREMIERS CONTACTS

• Petit tour du monde

Écoutez. Quel enregistrement est en français ? Quelles sont les autres langues ?
Associez l'image d'un pays à une des langues entendues.

La place Rouge (Moscou)

Le Parthénon (Athènes)

La place Rynek Glówny
(Cracovie)

ce de la Concorde (Paris)

La tour de Pise (Pise)

L'Ours et l'arbousier (Madrid)

• Transparence

Écoutez. Quels mots avez-vous entendus ? Connaissez-vous d'autres mots en français ?

- ☐ un restaurant
- ☐ une télévision
- ☐ espagnol
- ☐ un aéroport
- ☐ un professeur
- ☐ un numéro

- ☐ un cinéma
- ☐ Marie
- ☐ un téléphone
- ☐ un docteur
- ☐ une université
- ☐ un rendez-vous

- ☐ facile
- ☐ une langue
- ☐ portugais
- ☐ un hôtel
- ☐ un autobus

• Pour vous, la France c'est...

Quelles sont pour vous les trois images qui représentent le mieux la France ?

• Les langues parlées

Associez un pays à une langue.

Pays	Langue
l'Allemagne	le portugais
l'Argentine	le chinois
le Brésil	l'espagnol
la Chine	l'arabe
l'Égypte	le grec
l'Espagne	le français
la France	l'allemand
la Grèce	le russe
l'Italie	le polonais
le Japon	l'italien
les Pays-Bas	le japonais
la Pologne	l'anglais
le Royaume-Uni	le néerlandais
la Russie	

Premiers contacts

• Les journaux du monde

Regardez. Quel journal est écrit en français ? Quelles sont les autres langues ?

Repérez les mots français que vous connaissez ou que vous reconnaissez.

• Le langage de la classe

Écoutez. À qui le professeur s'adresse-t-il ? Complétez le tableau.

Prénoms

1. Parlez moins vite, s'il vous plaît ! ....
2. Je n'ai pas compris. ....
3. Parlez plus fort ! ....
4. Vous pouvez épeler ? ....
5. Vous pouvez répéter ? ....

Premiers contacts

• Phonétique

Vous allez entendre des couples de phrases.

Dites si les deux phrases sont identiques ou différentes.

	1.	2.	3.	4.	5.	6.	7.	8.	9.	10.	11.
identiques	❑	❑	❑	❑	❑	❑	❑	❑	❑	❑	❑
différentes	❑	❑	❑	❑	❑	❑	❑	❑	❑	❑	❑

• Douce France

Charles Trenet

Carte de Séjour

Premiers contacts

1

À la fin de ce parcours, l'apprenant sera capable de demander, de donner des informations et de comprendre les réponses obtenues. Il saura identifier et décrire de façon simple des personnes et des lieux et pourra s'adresser aux gens selon le degré de familiarité qu'il entretient avec eux.

Demander et donner de l'info

LE FRANÇAIS, C'EST FACILE

OBJECTIFS

SAVOIR-FAIRE
- identifier des personnes
- interagir : *tu / vous*

GRAMMAIRE
- les verbes *être, s'appeler*
  au présent
- masculin / féminin
- c'est un / c'est une

LEXIQUE
- professions
- nationalités

PHONÉTIQUE
- intonations expressives,
  questions, affirmations
- [y] / [u]
- un / une

ÉCRIT
- comprendre des messages
  simples, mettre la ponctuation

CULTURES
- salutations

DÉCOUVRIR

• Situations

Écoutez et associez chaque dialogue à une image.

Dialogue témoin

- Salut, Corinne ! Ça va ?
- Oui, ça va, et toi ?
- Ça va !

a

c

b

d

e

COMPRENDRE LIRE PARLER

• Qui est-ce ?

Écoutez et associez chaque dialogue à un document.

Dites quelle est la profession de chaque personne.

PARTIE RÉSERVÉE AU

IDENTIFICATION DU MÉDECIN OU DE L'ÉTABLISSEMENT

Docteur Jean-Luc Vincent
Dermatologue

Sur rendez-vous
Tél : 04 93 60 56 92

Dialogue témoin

- Vous vous appelez comment ?

- Jean-Luc Vincent,
  je suis dermatologue.

a ☐

Carole Lambert
(étudiante)
Donne cours
de français à domicile
Tél : 01 78 79 88 67
Carole @ wanadoo.fr

b ☐

FRANÇOIS MASSON
(Étudiant)

Cherche studio à louer
à côté de l'université

fmasson@internet.fr

c ☐

SOPHIE GERMAIN
DENTISTE

Sur rendez-vous
9h00 - 12h30 / 14h00 - 17h00

d ☐

Zora Lofti

Informaticienne

Lofti.@francenet.fr
9,Place de l'Odéon
75005 Paris

e ☐

République Française

Carte d'identité des journalistes Professionnels n°45884

PRESSE 2000
BRUNO ROSSI
carte officielle valable jusqu'au 31 mars 2001

le titulaire

f ☐

CHARLES LOFTI
INFORMATICIEN

http://www.f.lofti.fr
Lofti.c@francenet.com

s'appeler au présent	*être* au présent pour se présenter ou présenter quelqu'un
je m'appelle	Je suis étudiante.
tu t'appelles	Tu es dentiste.
il s'appelle	Il est journaliste.
elle s'appelle	Elle est informaticienne.
nous nous appelons	Nous sommes russes.
vous vous appelez	Vous êtes français.
ils s'appellent	Ils sont informaticiens.
elles s'appellent	Elles sont étudiantes.

Demander et donner de l'info

COMPRENDRE PARLER

● Célébrités

Écoutez les présentations et cherchez la photo qui correspond.

a ☐

Juliette Binoche

b ☐

Gérard Depardieu

Eddy Mitchell

Dialogue témoin

- C'est un chanteur de rock ?
- Oui.
- Il est américain, anglais ?
- Non, français.
- Ça existe, un chanteur
  de rock français ?

Qui connaissez-vous ?

- Johnny Hallyday
- Zinedine Zidane
- Jodie Foster
- Victor Hugo
- Robert de Niro
- Jean-Paul Gaultier
- Jacques Prévert

Les mots pour le dire

Il est / elle est	C'est un / c'est une
Pour donner une information	Pour donner une information
sur une personne	ou regrouper plusieurs informations
nationalité : *il est français.*	une information : *c'est un acteur.*
profession : *elle est actrice.*	plusieurs informations : *c'est un acteur français.*
appréciation : *il est célèbre.*	*C'est une jeune actrice française.*

● Exercice : intonation

**Écoutez et dites si l'intonation
est montante ou descendante puis répétez.**

	↗	↘
1.	☐	☐
2.	☐	☐
3.	☐	☐
4.	☐	☐
5.	☐	☐
6.	☐	☐
7.	☐	☐
8.	☐	☐
9.	☐	☐
10.	☐	☐

● Phonétique : un / une

Écoutez et dites si vous avez entendu un ou une.

	un	une
1.	☐	☐
2.	☐	☐
3.	☐	☐
4.	☐	☐
5.	☐	☐
6.	☐	☐
7.	☐	☐
8.	☐	☐
9.	☐	☐
10.	☐	☐

COMPRENDRE PARLER

• Au travail !

Écoutez et dites quelle est leur profession.

Dialogue témoin

Une baguette
et deux croissants !

Grammaire : masculin / féminin

	masculin	féminin
C'est pareil	un photographe	une photographe
	Il est belge.	Elle est belge.
C'est différent	un étudiant	une étudiante
	un boulanger	une boulangère
	un informaticien	une informaticienne
	Il est espagnol.	Elle est espagnole.
	Je suis français.	Je suis française.

• Exercice : masculin / féminin

Complétez avec il est ou elle est.

1. Sophie ? .... serveuse au *Zanzibar*.
2. Je te présente Jean Duval, ... architecte.
3. Juliette est médecin, ... dermatologue.
4. Claude, ... médecin aussi. Il travaille à l'hôpital.
5. Elsa Gomez ? .... députée.

6. Tu connais Dominique ? .... comédien.
7. François Berger, ... boulanger.
8. .... espagnole. C'est le professeur de mathématiques.
9. .... journaliste à l'agence France-Presse.
10. .... dentiste, Henri ?

COMPRENDRE CONNAÎTRE

• Salutations

Regardez les images.

D'après vous, ils se disent tu ou vous ?

Écoutez ensuite les enregistrements.

Dialogue témoin

- Bonjour Pierre ! Tu vas bien ?

- Bonjour monsieur Junot !

  Comment allez-vous ?

1

2

3

4

5

6

Les mots pour le dire

relation amicale	relation formelle
Quand vous rencontrez quelqu'un	
Salut !	Bonjour, monsieur.
Bonjour !	Bonjour, madame.
	Bonjour, mademoiselle.
Quand vous quittez quelqu'un	
Salut !	Au revoir, monsieur.
Au revoir !	Au revoir, madame.
	Au revoir, mademoiselle.
Pour connaître le nom de quelqu'un	
Comment tu t'appelles ?	Comment vous vous appelez ?
Tu t'appelles comment ?	Vous vous appelez comment ?

• Dialogues à jouer

**Lisez les petits dialogues suivants, jouez-les,
puis écoutez les enregistrements.**

1.

- Monsieur Martin ! Monsieur Martin !
- Bonjour, mademoiselle Lambert. Comment allez-vous ?

2.

- Salut, Jean-Luc !
- Oh ! Maurice ! Tu vas bien ?

3.

- Entrez !
- Bonjour, monsieur !
- Bonjour, mademoiselle. Asseyez-vous !

Dialogue témoin
- Bonjour… Jacqueline Dufour.
- Jacqueline Dufour ? Ah ! bonjour…

4.

- Allô ? Heu…, je voudrais, heu… parler à Joëlle Lemercier.
- C'est moi.
- Salut Joëlle, c'est Sylviane.
- Salut Sylviane ! Tu vas bien ?

5.

- Bonjour, Claire !
- Bonjour, Jacques. Vous allez bien ?

• Exercice : tu / vous

**Dites s'ils se disent tu ou vous
ou si on ne peut pas savoir.**

	tu	vous	on ne peut pas savoir
1.	☐	☐	☐
2.	☐	☐	☐
3.	☐	☐	☐
4.	☐	☐	☐
5.	☐	☐	☐
6.	☐	☐	☐
7.	☐	☐	☐
8.	☐	☐	☐
9.	☐	☐	☐
10.	☐	☐	☐

• Phonétique : [y] / [u]

**Écoutez et dites si
vous avez entendu
le son [y] ou le son [u].**

	[y]	[u]
1.	☐	☐
2.	☐	☐
3.	☐	☐
4.	☐	☐
5.	☐	☐
6.	☐	☐
7.	☐	☐
8.	☐	☐
9.	☐	☐
10.	☐	☐

Demander et donner de l'info

• Les prénoms

Écoutez les extraits de chansons et repérez les prénoms entendus.

COMPRENDRE LIRE ÉCRIRE

• Écrit : ponctuation

Écoutez et dites quel texte correspond à l'enregistrement.

Vous êtes étudiant ou étudiante en informatique.
Vous êtes dynamique, vous aimez le travail en équipe.
Vous habitez à Paris. Vous êtes bilingue. Vous
connaissez Excel, Access, Word 2000. Téléphonez
vite au 02 87 54 38 22.

Vous êtes étudiant ou étudiante en informatique ?
Vous êtes dynamique ! Vous aimez le travail en
équipe ! Vous habitez à Paris, vous êtes bilingue.
Vous connaissez Excel, Access, Word 2000 ?
Téléphonez vite au 02 87 54 38 22 !

Écoutez, puis mettez la ponctuation et les majuscules.

vous aimez la nature le sport les animaux vous avez entre 18 et 25 ans vous
aimez l'auvergne on vous propose un emploi en pleine nature pour avoir
plus d'informations téléphonez au 0 800 34 52 78 96

QUE CONNAISSEZ-VOUS DE LA FRANCE ?

SÉQUENCE 2

DÉCOUVRIR

OBJECTIFS

SAVOIR-FAIRE
- se situer dans le temps et dans l'espace
- quantifier
- demander, donner une information

GRAMMAIRE
- les prépositions
- l'apostrophe
- le verbe *aller*

LEXIQUE
- jours, mois, saisons
- lieux de la ville
- nombres

PHONÉTIQUE
- [s] / [z]

ÉCRIT
- compléter des fiches et un emploi du temps

CULTURES
- les fêtes en France

● C'est à quel sujet ?

**Écoutez et dites sur quoi portent les questions
(qui, quoi, quand, où, combien ?).**

Dialogue témoin

- Excusez-moi,
  la mairie, s'il vous plaît ?
- C'est en face.
- Merci !

1

2

3

4

5

	dialogue n°
Qui ?	☐
Quoi ?	☐
Quand ?	☐
Où ?	☐
Combien ?	☐

Demander et donner de l'info

COMPRENDRE ÉCRIRE

• Ils sont français

Écoutez et devinez qui parle puis complétez les fiches.

ABDEL HABRIH
Profession :

Ville :

Langue(s) parlée(s) :

Goûts :
aime la musique espagnole

CHRISTIAN MUSITELLI
Profession :
étudiant

Ville :

Langue(s) parlée(s) :

Goûts :

Dialogue témoin

Je suis informaticien à Rennes. Je parle breton, un peu chinois et j'aime la musique africaine.

LOÏC STIVEL
Profession :
informaticien
Ville :
Rennes
Langue(s) parlée(s) :
breton, chinois
Goûts :
aime la musique africaine

MARIE KLOSOVSKI
Profession :

Ville :

Langue(s) parlée(s) :
anglais, polonais
Goûts :

JUDITH MÜLLER
Profession :

Ville :

Langue(s) parlée(s) :
allemand
Goûts :

LILLE

RENNES

PARIS

STRASBOUR

LA ROCHELLE

BORDEAUX

LYON

PAU

MARSEILLE

AJACCIO

• Phonétique : [s] / [z]

Écoutez et dites si vous avez entendu le son [s] ou le son [z].

	1.	2.	3.	4.	5.	6.	7.	8.	9.	10.
[s]	☐	☐	☐	☐	☐	☐	☐	☐	☐	☐
[z]	☐	☐	☐	☐	☐	☐	☐	☐	☐	☐

COMPRENDRE

● Rendez-vous

Écoutez et associez les images et les dialogues.

a ☐

Dialogue témoin

- Tu connais l'hôtel
  des Arts ? Rendez-vous
  à 16 heures, OK ?
- D'accord !
  À l'hôtel des Arts,
  à 4 heures.

b ☐

c ☐

d ☐

Repérez dans l'enregistrement les mots qui suivent au, à la, à l'.

Grammaire

En français, on ne peut pas savoir si un mot est masculin ou féminin.

le + mot masculin	**l'** + mot masculin ou féminin qui commence par une voyelle (**a-e-i-o-u-y**) ou certains **h**	**la** + mot féminin
le restaurant	*l'école, l'hôtel*	*la pharmacie*
	Pour dire où on est ou où on va	
au + mot masculin	**à l'** + mot masculin ou féminin qui commence par une voyelle (**a-e-i-o-u-y**) ou certains **h**	**à la** + mot féminin
au restaurant	*à l'école, à l'hôtel*	*à la pharmacie*

● Exercice : au / à la / à l'

Complétez en choisissant.

1. Ce soir je t'invite, on va au .... lycée   restaurant   Sénégal
2. Rendez-vous à 8 h, au .... **aéroport**   cinéma   **université**
3. Je suis sportif ! Je vais à la .... **boulangerie**   bibliothèque   piscine
4. Je suis malade, je vais à la .... **banque**   piscine   clinique
5. Marc est médecin à l' .... **hôpital**   clinique   lycée
6. Léa ? Elle est à l' .... **piscine**   école   cinéma
7. Moi, je travaille au .... **café** *Chez Eugène*   hôtel des Arts   Strasbourg
8. Madame Legay ? Elle est au .... **mairie**   piscine   marché

aller au présent
Je vais à la piscine.
Tu vas au cinéma.
Il va au bureau.
Elle va à Paris.
Nous allons au marché.
Vous allez à Cannes ?
Ils vont au Mexique.
Elles vont au Pérou.

● Où est-il ? Où est-elle ?

Écoutez et dites où sont les personnages.

a

b

c

Dialogue témoin

- Mademoiselle,
  vous désirez ?
- Un carnet de timbres,
  s'il vous plaît.
- Voilà.
- Merci !

d

e

Grammaire : l'apostrophe

Devant une voyelle ou certains h on écrit '.

Je parle français. J'aime Paris. J'habite à Marseille.
Je vais au cinéma. Je vais à l'hôtel.

● Exercice : l'apostrophe

Complétez les phrases.

1. .... habite à Rome.

     J'   Je   Nous

2. Elle, elle aime le rap, moi, ... préfère le rock.

     j'   elle   je

3. Tu connais .... Argentine ?

     la   l'   le

4. Pei, c'est .... architecte de la Pyramide du Louvre.

     l'   la   le

5. Moi, ... aime la musique brésilienne.

     je   j'   tu

6. .... étudie le français et toi ?

     Tu   Je   J'

• Les nombres

COMPRENDRE

Écoutez et associez les images
et les enregistrements.

Dialogue témoin

- Un ticket,
  s'il vous plaît.
- 8 francs.
- Voilà.
- Merci.

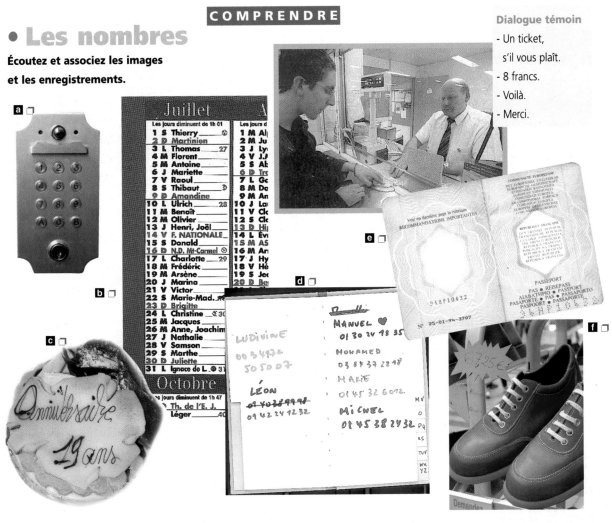

Écoutez la deuxième série d'enregistrements et dites ce que vous avez entendu.

1.	**2.**	**3.**	**4.**	**5.**
☐ 31 A 13	☐ 01 67 07 17 82	☐ 13 ans	☐ 27	☐ 16 73
☐ 21 A 16	☐ 01 65 07 17 92	☐ 16 ans	☐ 25	☐ 13 73
☐ 51 A 76		☐ 6 ans	☐ 29	☐ 13 67

Les nombres de 1 à 100

0 : zéro

Sur le modèle de 20, 21, 22, etc.

1 : un / une	11 : onze	21 : vingt et un	31 : trente et un	71 : soixante et onze
2 : deux	12 : douze	22 : vingt-deux	32 : trente-deux	72 : soixante-douze
3 : trois	13 : treize	23 : vingt-trois	33 : trente-trois	80 : quatre-vingts
4 : quatre	14 : quatorze	24 : vingt-quatre	44 : quarante-quatre	81 : quatre-vingt-un
5 : cinq	15 : quinze	25 : vingt-cinq	45 : quarante-cinq	82 : quatre-vingt-deux
6 : six	16 : seize	26 : vingt-six	56 : cinquante-six	90 : quatre-vingt-dix
7 : sept	17 : dix-sept	27 : vingt-sept	57 : cinquante-sept	91 : quatre-vingt-onze
8 : huit	18 : dix-huit	28 : vingt-huit	68 : soixante-huit	92 : quatre-vingt-douze
9 : neuf	19 : dix-neuf	29 : vingt-neuf	69 : soixante-neuf	100 : cent
10 : dix	20 : vingt	30 : trente	70 : soixante-dix	*puis cent un, cent deux, etc.*

Demander et donner de l'info

• Ça se passe quand ?

Écoutez et dites quand ça se passe.

Poisson d'avril !

JANVIER	FÉVRIER	MARS	AVRIL	MAI	JUIN
Le Nouvel An	La Saint-Valentin	La journée des Femmes	Pâques	La fête du Travail	La fête de la Musique
1er janvier	14 février	8 mars		1er mai	21 juin

JUILLET	AOÛT	SEPTEMBRE	OCTOBRE	NOVEMBRE	DÉCEMBRE
La Fête nationale	Les vacances	La rentrée des classes	Les vendanges	La Toussaint	Noël
14 juillet				1er novembre	25 décembre

LE PRINTEMPS	L'ÉTÉ
20 mars	21 juin

L'AUTOMNE	L'HIVER
23 septembre	21 décembre

Les mots pour le dire : ça se passe...

mois	saison	fête	jour
en janvier	au printemps	au Nouvel An	le 1er janvier
en février	en été	à Pâques	le 14 février
en avril	en automne	à Noël	le 1er novembre
en mai	en hiver		le 25 décembre

CONNAÎTRE PARLER

• Qu'est-ce que c'est ?

Dites ce qui est français et identifiez ce qui n'est pas français.

Une spécialité	Un musée	Un journal	Un film
Le couscous	Le centre Pompidou	El País	Titanic
La paella	Le MOMA	Libération	La dolce Vita
La choucroute	Le Reina Sofia	La Repubblica	Cyrano
Le hamburger	Le British museum	La Jornada	Épouses et concubines
Le croissant	Les Offices	The Guardian	Madadayo

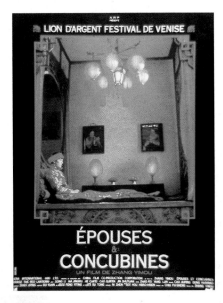

Dialogue témoin

- Qu'est-ce que tu lis ?

- La Repubblica.

- C'est espagnol ?

- Non, c'est un journal italien.

Les mots pour le dire
c'est un / c'est une
*El País ? **C'est un** journal espagnol.*

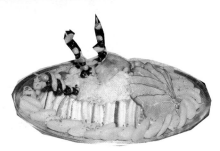

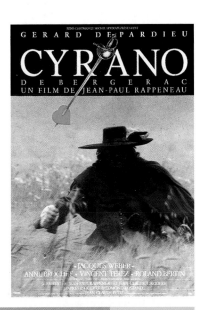

• Où vont-ils ?

Dialogue témoin

- Allô, Paul ? Tu vas à la piscine ?
- Ah non ! Moi, la piscine,
  c'est le mercredi.

Écoutez et complétez l'emploi du temps.

	LUNDI	MARDI	MERCREDI	JEUDI	VENDREDI	SAMEDI	DIMANCHE
Paul			piscine				
Mathieu							
Carole							
Patrick	bureau						
Lucie							
Julien							gare
Madeleine							
René							
Pierre							

• Où et quand ?

Écoutez les phrases et dites où / quand on peut les entendre.

1. ☐ à la mairie ☐ au supermarché ☐ à la banque
2. ☐ à la boulangerie ☐ au marché ☐ à la crémerie
3. ☐ chez le garagiste ☐ chez le docteur ☐ chez le boucher
4. ☐ en hiver ☐ au printemps ☐ en automne
5. ☐ à l'épicerie ☐ au restaurant ☐ à la maison
6. ☐ le 7 juillet ☐ le 13 juillet ☐ le 14 Juillet
7. ☐ vendredi ☐ samedi ☐ lundi

• Exercice : les mois, les saisons

Trouvez la bonne réponse.

1. J'aime Paris au	printemps	automne	été
2. Je suis Sagittaire. Je suis né en	avril	décembre	juin
3. La fête de la Musique, c'est en	automne	été	mai
4. Il est né le	1ᵉʳ janvier	Pâques	printemps
5. Elle a 20 ans le 1ᵉʳ jour du printemps, ...	le 21 juin	le 20 mars	le 23 septembre
6. J'aime Rome au mois d'......... .	avril	mai	septembre

ANTICIPATION

OBJECTIFS

SAVOIR-FAIRE
- se situer dans le temps
- demander et donner l'heure

GRAMMAIRE
- le passé composé
- les possessifs
- le pronom *on*

LEXIQUE
- verbes d'action
- relations familiales

PHONÉTIQUE
- [ɔ̃] /[ɑ̃]

CULTURES
- les horaires

• Décalage horaire

Écoutez et faites correspondre chaque dialogue à une image.

Dialogue témoin

- On part de Paris à midi.
- Et on arrive à quelle heure ?
- À dix heures !

c ❑

b ❑

a ❑

d ❑

• Exercice : l'heure

Écoutez et cochez l'heure exacte.

1.	2.	3.	4.
❑ 12 h 45	❑ 18 h	❑ 07 h 30	❑ 06 h 23
❑ 13 h 45	❑ 20 h	❑ 17 h 30	❑ 13 h 33
❑ 11 h 45	❑ 22 h	❑ 19 h 30	❑ 16 h 53

5.	6.	7.	8.
❑ 23 h 13	❑ 19 h 15	❑ 20 h 30	❑ 03 h 45
❑ 23 h 16	❑ 20 h 15	❑ 08 h 30	❑ 03 h 15
❑ 13 h 16	❑ 20 h 05	❑ 08 h 15	❑ 02 h 45

Demander et donner de l'info

• C'est ouvert ou c'est fermé ?

Écoutez et faites correspondre les enregistrements avec les photos.

a ☐

MUSÉE DES BEAUX-ARTS
ET D'ARCHÉOLOGIE

ouvert tous les jours

SAUF LE MARDI
(et les 1er novembre - 25 décembre)

9 H 30 - 12 H 30
14 H - 18 H
jeudi jusqu'à 20 H

LE WEEK-END
9 H 30 - 18 H

b ☐

c ☐

PHARMACIE REGIONALE
Y. MAHUT
Docteur en Pharmacie
HEURES D'OUVERTURE
Du Lundi au Samedi
9h00 12h30 - 13h30 19h00
Vendredi Journée Continue

d ☐

Ouvert de 7 h à 23 h

e ☐

La Boîte
à Crêpes
RESTAURANT

11h30 A 14h
le Midi
OUVERT
le Soir
18h30 A 24h

f ☐

PREMIER TRAIN : 5H41
DERNIER TRAIN : 0H55

HAVRE-CAUMARTIN
OPÉRA
QUATRE-SEPTEMBRE
BOURSE
SENTIER
RÉAUMUR-SÉBASTOPOL
ARTS ET MÉTIERS
TEMPLE
RÉPUBLIQUE
PARMENTIER
SAINT-MAUR
PÈRE-LACHAISE
GAMBETTA
PORTE DE BAGNOLET
GALLIENI

Dans votre pays, c'est comme en France ?

Les mots pour le dire : l'heure

7 h 30	sept heures et demie	sept heures trente
16 h	quatre heures	seize heures
23 h	**onze heures du soir**	**vingt-trois heures**
0 h	minuit	zéro heure

Pour demander

- *Quelle heure est-il ?*

- *Il est quelle heure ?*

- *Vous avez l'heure ?*

- *Tu arrives à quelle heure ?*

Pour répondre

- *Il est onze heures et quart.*

- *Il est midi.*

- *Dix heures et demie.*

- *À minuit.*

● Présent, passé, futur

Écoutez et dites pour chaque groupe de trois enregistrements si le moment évoqué concerne le présent, le passé ou le futur.

Dialogue témoin

- Allô ? Pierre est là ?
- Oui, mais il dort.

Dialogue témoin

- Tu as bien dormi ?
- Oui, très bien et toi ?

Dialogue témoin

- Tu travailles demain ?
- Non, demain c'est samedi, je dors.

	présent			passé			futur		
	1.	2.	3.	1.	2.	3.	1.	2.	3.
bloc 1	☐	☐	☐	☐	☐	☐	☐	☐	☐
bloc 2	☐	☐	☐	☐	☐	☐	☐	☐	☐
bloc 3	☐	☐	☐	☐	☐	☐	☐	☐	☐
bloc 4	☐	☐	☐	☐	☐	☐	☐	☐	☐

Passé composé des verbes en -er

	travailler	
j'	ai	travaillé
tu	as	travaillé
il / elle	a	travaillé
nous	avons	travaillé
vous	avez	travaillé
ils / elles	ont	travailllé

Construction : verbe **avoir** + participe passé en **é**

manger : *j'ai mangé*   **aimer** : *j'ai aimé*

Le verbe **aller** et des verbes comme **sortir**, **partir**, forment leur passé composé avec le verbe **être**.

● Exercice : passé composé

Lisez, écoutez et identifiez l'infinitif correspondant au passé composé entendu.

1. Ouf ! j'ai fini !	comprendre	☐
2. Qu'est-ce que tu as dit ?	dire	☐
3. Désolé. Il est parti !	dormir	☐
4. Qu'est-ce que tu as fait ce week-end ?	faire	☐
5. Je n'ai pas compris.	finir	☐
6. Cette nuit, j'ai mal dormi.	manger	☐
7. Tu as téléphoné à André ?	partir	☐
8. J'ai bien mangé !	téléphoner	☐

• En famille

Écoutez et dites de qui on parle.

Dialogue témoin
- Qu'est-ce qu'il fait, ton père ?
- Mon père ? Il est employé de banque.

Grammaire : les possessifs

mon, ton, son + mot masculin

mon frère, ton oncle, son père

ma, ta, sa + mot féminin

ma sœur, ta tante, sa mère

mon, ton, son + mot féminin qui commence par une voyelle (a-e-i-o-u) ou certains h

mon amie, ton adresse, son histoire

mes, tes, ses + mot masculin ou féminin

mes enfants, tes parents, ses voisins

mes amis, tes sœurs, ses étudiantes

• Exercice : les possessifs

Complétez en utilisant mon / ton ou ma / ta.

1. Voici Julie, c'est .... sœur.
2. .... mère ? elle est professeur.
3. Qu'est-ce qu'il fait, ... père ?
4. Tiens, voilà .... numéro de téléphone.
5. C'est .... frère ? Non, c'est .... père.
6. C'est .... anniversaire, j'ai 18 ans.
7. .... tante est professeur ?
8. Elle est jolie, ... fiancée !
9. Tu connais .... adresse ?
10. C'est .... fils, il est étudiant.

REPRISE

• C'est qui on ?

Écoutez et dites, pour chacun des dessins, qui est on.

	on signifie		
	nous	quelqu'un	les gens la population
1.	☐	☐	☐
2.	☐	☐	☐
3.	☐	☐	☐
4.	☐	☐	☐
5.	☐	☐	☐
6.	☐	☐	☐
7.	☐	☐	☐

Dialogue témoin

- On parle en français ?
- Oui, d'accord.
  Mais moi
  pas comprendre tout.

• Phonétique : [ɔ̃] / [ɑ̃]

Écoutez et dites si vous avez entendu le son [ɔ̃] ou le son [ɑ̃].

	1.	2.	3.	4.	5.	6.	7.	8.	9.	10.
[ɔ̃]	☐	☐	☐	☐	☐	☐	☐	☐	☐	☐
[ɑ̃]	☐	☐	☐	☐	☐	☐	☐	☐	☐	☐

Demander et donner de l'info

• L'esprit d'entreprise

Visitez l'entreprise et dites ce qu'ils font.

Dialogue témoin

- Monsieur Lestrade ?
  Les représentants de
  Fumichi sont là, pour
  la visite de l'entreprise.
- Vous leur offrez du thé
  ou du café. J'arrive.
- Monsieur Lestrade
  arrive ! Thé ou café ?

Quelques verbes au présent			
parler	**lire**	**écrire**	**dormir**
je parle	je lis	j'écris	je dors
tu parles	tu lis	tu écris	tu dors
il / elle / on parle	il / elle / on lit	il / elle / on écrit	il / elle / on dort
nous parlons	nous lisons	nous écrivons	nous dormons
vous parlez	vous lisez	vous écrivez	vous dormez
ils / elles parlent	ils / elles lisent	ils / elles écrivent	ils / elles dorment

CADRES DE VIE

● En ville ou à la campagne ?

Écoutez et associez chaque dialogue à une image.

Dialogue témoin

- Il habite où, le docteur Berthier ?
- À la montagne, à Courchevel.

 b ☐

a ☐

 c ☐

d ☐

• Où vont-ils en été ?

Écoutez et dites où ils vont en vacances.

Les mots pour le dire : la localisation

à, à la, au	en	dans
à Nanterre	*en ville*	*dans une ville*
à la campagne	*en banlieue*	*dans un village*
à la montagne		*dans la banlieue parisienne*
à la mer		
au centre-ville		

au + pays masculin qui commence par une consonne	**en + nom de pays féminin qui commence par une consonne ou nom de pays masculin qui commence par une voyelle**
au Maroc	*en France*
au Brésil	*en Inde* (féminin)
au Japon	*en Iran* (masculin)

Dialogue témoin

- Où est-ce que vous allez en été ?
- Moi, en juillet, je vais à la campagne. En août, je travaille.

• Exercice : les prépositions

Complétez en choisissant.

1. Jean-Marc habite ...., dans un petit village.

  à la campagne
  à Strasbourg
  en ville

2. Suzy, elle travaille ...., au musée du Louvre.

  dans un village
  à Paris
  dans la banlieue de Lille

3. Elle est monitrice de ski, elle travaille ....

  au centre-ville
  à la montagne
  en Bretagne

4. Moi j'habite en banlieue mais je travaille ....

  au centre-ville
  dans la banlieue
  au Brésil

5. Zora est marocaine, elle habite à Marrakech, ...

  en France
  au Maroc
  à la Réunion

6. Gwenaëlle est bretonne, elle est née ....

  en Grande-Bretagne
  en Bretagne
  en Corse

• Phonétique : [ɑ̃] / [ɛ̃]

Écoutez et dites si vous avez entendu le son [ɑ̃] ou le son [ɛ̃].

	[ɑ̃]	[ɛ̃]
1.	☐	☐
2.	☐	☐
3.	☐	☐
4.	☐	☐
5.	☐	☐
6.	☐	☐
7.	☐	☐
8.	☐	☐
9.	☐	☐
10.	☐	☐

• Marie, Jules, Claudio et Clara `PARLER`

Trouvez les points communs entre les différents personnages.

Clara	Jules	Claudio	Marie
43 ans	30 ans	25 ans	25 ans
Professeur	Informaticien	Étudiant	Professeur
Espagnole	Allemand	Français	Française

avoir

j'ai

tu as

il / elle / on a

nous avons

vous avez

ils / elles ont

verbes

Il, elle, ➜ ils, elles

On ajoute **-ent** à la fin du verbe :
Ils mangent, elles travaillent

Exceptions :

être, avoir, aller, faire :
Ils sont, ils ont, ils vont, ils font

Grammaire : le pluriel

noms, adjectifs

Le, la, l' ➜ **les** : *les Espagnols*

Mon, ma ➜ **mes** : *mes parents*

Quand un nom est au pluriel, on ajoute généralement un **s**.

Les jeunes enfants, les villes françaises

Tous les éléments de la phrase concernés par le pluriel
(noms, verbes, adjectifs) doivent **s'accorder.**

*Tes amies italiennes **sont** très sympathiques
et elles parlent bien français.*

• Exercice : singulier / pluriel

**Dites si on parle d'une, de plusieurs personnes
ou si on ne sait pas.**

	une personne	plusieurs personnes	on ne sait pas
1.	☐	☐	☐
2.	☐	☐	☐
3.	☐	☐	☐
4.	☐	☐	☐
5.	☐	☐	☐
6.	☐	☐	☐
7.	☐	☐	☐
8.	☐	☐	☐
9.	☐	☐	☐
10.	☐	☐	☐

• Exercice : le / la / l' / les, un / une / des

Complétez en utilisant le / la / l' / les ou un / une / des.

1. Tu connais .... parents de Julienne ?

2. Vous avez .... enfants ?

3. C'est .... très jolie ville.

4. C'est .... fille de madame Lemoine.

5. .... capitale du Brésil, c'est Rio ou Brasilia ?

6. Tu peux acheter .... tomates ?

7. C'est où, ... salle 8 ?

8. Pierre, c'est .... ami.

9. Tu connais .... amie de Pascal ?

10. En février, ... Brésiliens fêtent le carnaval.

11. Est-ce que je peux poser .... question ?

12. J'aime beaucoup .... fleurs.

Demander et donner de l'info

• C'est comment ?

Écoutez et faites correspondre chaque enregistrement avec une photo.

Écoutez à nouveau et choisissez les informations correctes pour chaque ville.

Si l'information n'est pas donnée, choisissez je ne sais pas.

Dialogue témoin

- Allô, maman ?
- Oui, tu es où ?
- À Oaxaca...

b □

a □

d □

c □

ville	nombre d'habitants	situation	taille
Tokyo	□ 3 500 000	□ je ne sais pas	□ petite
	□ 12 000 000	□ à 10 000 km de la France	□ grande
	□ 2 250 000	□ à 6 000 km	□ immense
Oaxaca	□ 500 000	□ à 10 km au nord de Mexico	□ petite
	□ je ne sais pas	□ à 500 km au sud de Mexico	□ grande
	□ 60 000	□ à 300 km à l'est de Mexico	□ immense
Honfleur	□ 23 000	□ à 190 km de Paris	□ petite
	□ 15 000	□ à 230 km de Paris	□ grande
	□ je ne sais pas	□ à 150 km de Paris	□ immense
Paris	□ 2 150 000	□ au nord de la France	□ petite
	□ 2 500 000	□ je ne sais pas	□ grande
	□ 1 500 000	□ au centre de la France	□ immense
Barcelone	□ je ne sais pas	□ à 135 km de la France	□ petite
	□ 2 500 000	□ à 165 km de la France	□ grande
	□ 1 600 000	□ à 180 km de la France	□ immense

Grammaire : il y a / c'est un / c'est une / c'est le / c'est la... pour présenter un lieu

il y a + nom pour donner des informations sur un lieu

À Paris, il y a 2 150 000 habitants.   *À Paris, il y a 20 arrondissements.*

c'est + adjectif, c'est un / c'est une / c'est le / c'est la + nom pour identifier et caractériser un lieu

Tokyo, c'est immense.   *Madrid, c'est la capitale de l'Espagne.*   *Honfleur, c'est une petite ville, un petit port.*

• Les villes de France

Écoutez et complétez les textes.

Arles, ... est une petite ville de .... habitants.
Elle est située dans .... de la France.

La Rochelle est située dans .... de la France.
C'est une .... de .... habitants.

Toulouse ....
....

Lille .... de la France.
C'est .... Il y a ....

Les nombres au-delà de 100

100 : cent	**110** : cent dix	**1 000** : mille	**10 000** : dix mille
101 : cent un	**200** : deux cents	**2 000** : deux mille	**100 000** : cent mille
102 : cent deux	**300** : trois cents	**3 000** : trois mille	**1 000 000** : un million
103 : cent trois	**400** : quatre cents	**4 000** : quatre mille	**1 000 000 000** : un milliard
104 : cent quatre	**500** : cinq cents	**5 000** : cinq mille	
105 : cent cinq	**600** : six cents	**6 000** : six mille	
106 : cent six	**700** : sept cents	**7 000** : sept mille	
107 : cent sept	**800** : huit cents	**8 000** : huit mille	
108 : cent huit	**900** : neuf cents	**9 000** : neuf mille	
109 : cent neuf			

• À la maison

Écoutez et dites ce qu'ils font et ce qu'ils ne font pas à la maison.

	lui	elle
Faire la cuisine.	☐	☐
Bricoler.	☐	☐
Jouer avec le chat.	☐	☐
Faire la vaisselle.	☐	☐
S'occuper des enfants.	☐	☐
Faire les courses.	☐	☐
Sortir le chien.	☐	☐
Faire le ménage.	☐	☐

Grammaire : la négation

La négation est composée de deux mots : ne et pas.

Ils se placent de chaque côté du verbe.

Je ne comprends pas.

Si le verbe commence par une voyelle ou par certains h, ne s'écrit n'.

Je n'ai pas le temps.

À l'oral, ne disparaît souvent. On entend alors :

Je comprends pas au lieu de je ne comprends pas.

• Exercice : ne ... pas ou pas

Écoutez et dites si vous entendez la forme négative complète ne ... pas ou incomplète pas.

	ne ... pas	pas
1.	☐	☐
2.	☒	☐
3.	☐	☐
4.	☐	☐
5.	☐	☐
6.	☐	☐
7.	☐	☐
8.	☐	☐

• Phonétique : [p] / [b]

Écoutez et dites si vous avez entendu le son [p] ou le son [b].

	[p]	[b]
1.	☐	☐
2.	☐	☐
3.	☐	☐
4.	☐	☐
5.	☐	☐
6.	☐	☐
7.	☐	☐
8.	☐	☐
9.	☐	☐
10.	☐	☐

• Compréhension orale

Qui téléphone à qui ? Écoutez les messages puis complétez le tableau.

Message	Qui ?	À qui ?	Pour quoi ?	Quand ?
1.				
2.				
3.				
4.				
5.				

• Compréhension écrite

Lisez le petit texte suivant puis cochez la bonne réponse.

J'ai 15 ans et je voudrais correspondre avec un garçon ou une fille de mon âge. Je m'appelle Guadalupe Castillo. J'habite à Cuernavaca. C'est une petite ville au sud-ouest de Mexico. J'ai deux grands frères et une petite sœur. Nous habitons dans une jolie maison avec mes grands-parents. Mon père est professeur de français et ma mère travaille dans un grand hôtel. J'apprends le français au collège et aussi à la maison, avec mon père. J'aime le sport, la mer et la piscine. J'aime aussi la musique mexicaine et anglaise. J'ai visité l'Europe à Noël, avec mes parents. Je connais un peu Paris, Londres et Madrid.
Voici mon adresse :
guadalupecastillo@hotmail.mx

	vrai	faux	on ne peut pas savoir
1. Guadalupe est un prénom mexicain.	❏	❏	❏
2. Elle habite au Mexique.	❏	❏	❏
3. Elle a un frère de 15 ans.	❏	❏	❏
4. Elle habite une petite maison.	❏	❏	❏
5. Ses parents parlent français.	❏	❏	❏
6. Sa mère ne travaille pas.	❏	❏	❏
7. Guadalupe parle bien français.	❏	❏	❏
8. Elle aime la télévision.	❏	❏	❏
9. Elle connaît bien Paris.	❏	❏	❏
10. Elle a habité en Espagne.	❏	❏	❏

• Expression écrite

Sur le modèle du message de Guadalupe, écrivez un petit texte pour parler de vous. Vous donnerez votre prénom, votre nom et votre âge ; vous direz où vous habitez ; vous parlerez de votre famille, de ce que vous aimez et de ce que vous n'aimez pas, de vos activités.

• Expression orale

Choisissez deux personnes et imaginez ce qu'elles se disent.

EXERCICES COMPLÉMENTAIRES

PARCOURS 1

1. Intonation : questions, affirmations

Écoutez et dites s'il s'agit d'une question ou d'une affirmation.

	1.	2.	3.	4.	5.	6.	7.	8.	9.	10.
Q	☐	☐	☐	☐	☐	☐	☐	☐	☐	☐
A	☐	☐	☐	☐	☐	☐	☐	☐	☐	☐

2. Masculin / féminin

Dites si la personne qui parle est un homme, une femme ou si on ne peut pas dire.

	H	F	?
1. Moi, je m'appelle Léa, je suis italienne.	☐	☐	☐
2. J'habite à Amsterdam.	☐	☐	☐
3. Je suis médecin.	☐	☐	☐
4. Nous, on parle portugais.	☐	☐	☐
5. Je suis ministre de la Justice.	☐	☐	☐
6. Moi, je suis infirmière.	☐	☐	☐
7. Mon nom ? Claude. Je suis étudiante.	☐	☐	☐
8. Je suis célibataire.	☐	☐	☐
9. Moi, je suis divorcé.	☐	☐	☐
10. J'aime la musique et la danse.	☐	☐	☐
11. Je m'appelle Dominique.	☐	☐	☐
12. Je suis informaticien.	☐	☐	☐

3. Masculin / féminin

Écoutez et dites si on parle d'un homme, d'une femme ou si on ne sait pas.

	1.	2.	3.	4.	5.	6.	7.	8.	9.	10.
H	☐	☐	☐	☐	☐	☐	☐	☐	☐	☐
F	☐	☐	☐	☐	☐	☐	☐	☐	☐	☐
?	☐	☐	☐	☐	☐	☐	☐	☐	☐	☐

4. C'est un, c'est une / il est, elle est

Complétez les phrases.

1. Leila habite à Paris. .... étudiante marocaine. .... mariée avec Marc.
2. Tu connais Isabelle Adjani ? .... actrice célèbre en France.
3. Voilà Charles. .... ami belge. .... ingénieur à Bruxelles.
4. Jean vit à Québec. .... canadien. .... journaliste célèbre.
5. Carole travaille à Nice. .... italienne. Elle a 22 ans. .... jeune photographe de mode.

5. Phonétique : [y] / [u]

Dites quelle phrase vous avez entendue.

1. ☐ Il est pour.
   ☐ Il est pur.
2. ☐ Il est sourd.
   ☐ Il est sûr.
3. ☐ C'est dessus.
   ☐ C'est dessous.
4. ☐ Tu as vu ?
   ☐ Tu avoues ?
5. ☐ Tu l'as lu ?
   ☐ Tu la loues ?
6. ☐ Il a rougi.
   ☐ Il a rugi.
7. ☐ Elle est russe.
   ☐ Elle est rousse.
8. ☐ Tu vas bien ?
   ☐ Tout va bien ?
9. ☐ Il sait tout.
   ☐ Il s'est tu.
10. ☐ Il est ému.
    ☐ Il était mou.

6. Être, s'appeler

Complétez les phrases.

1. - Comment vous .... ?
   - Carole.
2. Je .... Bruno, et toi ?
3. - Vous .... médecin ?
   - Moi, je .... étudiant en médecine.
4. Il .... anglais ?
5. Maria .... espagnole.
6. Elle .... Isabelle, elle .... actrice.
7. Ils .... brésiliens. Il .... João et elle .... Lucia.

7. Identité

Complétez les documents en vous aidant des informations données.

1. Clara de Vega est espagnole. Elle est hôtesse d'accueil au Grand Hôtel des Arts d'Antibes. Elle habite Cannes, au 70 rue des Pompiers. Elle a deux enfants. Elle est mariée.

2. Michel Desvignes est français. Il est divorcé. Son anniversaire est le 29 mars. Il a 30 ans. L'hiver, il travaille à Chamonix, il est moniteur de ski. Il habite à Genève, 57 avenue de France.

1. Nom :
   Prénom :
   Nationalité :
   Adresse :
   État civil :
   Nombre d'enfants :
   Profession :

2. Nom :
   Prénom :
   Nationalité :
   Date de naissance :
   Adresse :
   État civil :
   Profession :

8. Les adjectifs de nationalité

Complétez avec les adjectifs qui conviennent.

1. *The Guardian* est un journal ....
2. La pizza est une spécialité ....
3. Le sirtaki est une danse ....
4. J'aime bien le chorizo, c'est une charcuterie ....
5. J'adore manger des sushis dans les restaurants ....
6. Le fado ? C'est une musique ....
7. Le roquefort est un fromage ....
8. Woody Allen est un metteur en scène .... très aimé en France.
9. *La Repubblica* est un journal ....
10. Tu veux du couscous ? C'est une spécialité ....

9. Tu / vous

Écoutez et dites si c'est correct.

	oui	non
1.	☐	☐
2.	☐	☐
3.	☐	☐
4.	☐	☐
5.	☐	☐

10. L'apostrophe

Complétez avec je, j', le, la ou l'.

1. Moi, ... habite à Rennes.
2. .... suis étudiante.
3. .... parle anglais sans accent.
4. .... aime le jazz.
5. Tu connais .... Argentine ?
6. .... école de Jules est fermée.
7. C'est .... hôtel de la rue Victor Hugo.
8. .... vais à Marseille avec Pierre.
9. .... pharmacie est ouverte le dimanche.
10. Rendez-vous devant .... cinéma.

11. Au, à la, à l'

Complétez les phrases.

1. Marc est .... hôpital.
2. On va .... restaurant ?
3. Il est professeur .... université.
4. Il travaille .... bibliothèque.
5. Rendez-vous à 8 h .... cinéma.
6. Tu vas .... boulangerie ?
7. Elle est .... hôtel du Parc.
8. Taxi ! .... tour Eiffel, s'il vous plaît !
9. Nous allons .... opéra.
10. Paul ? Il est .... école.

12. Questions / réponses

Trouvez les questions correspondant aux réponses.

1. - .... ? - Avenue des Champs-Élysées.
2. - .... ? - Le 21 mars.
3. - .... ? - Picasso.

Demander et donner de l'info

4. - .... ? - Dimanche.

5. - .... ? - C'est un footballeur.

6. - .... ? - À l'école.

7. - .... ? - En septembre.

8. - .... ? - Non, elle est chinoise.

13. Les pronoms

Complétez les phrases avec moi, toi, lui, elle, nous, vous, eux, elles.

1. Moi, j'habite à Limoges, et ...., tu habites où ?

2. - Comment tu t'appelles ?

   - .... ? Marie-Jeanne, et .... ?

   - Il s'appelle Henri.

3. Je travaille à Bordeaux, et mon père, ..., il travaille à Biarritz.

4. ...., elle va en vacances à la montagne, et ...., on va à la mer.

5. Les étudiants aiment beaucoup le cinéma. Les enfants, ..., préfèrent la télévision.

6. - Tu connais Jacques et Sophie ?

   - Bien sûr ! Je travaille avec ....

7. Quand je parle français avec ...., elles ne comprennent pas !

8. Tu as le numéro de téléphone de Marie ? J'ai un message pour ....

9. - Bruno est là ?

   - Non, il est chez ....

10. - Tu vas chez les Martin ?

   - Oui, je vais chez .... pour déjeuner.

14. Présent / passé

Dites si vous avez entendu le présent ou le passé composé.

	présent	passé composé
1.	☐	☐
2.	☐	☐
3.	☐	☐
4.	☐	☐
5.	☐	☐
6.	☐	☐
7.	☐	☐
8.	☐	☐
9.	☐	☐
10.	☐	☐

15. Les adjectifs possessifs

Complétez avec le possessif qui convient.

1. Voici Annie, c'est .... sœur.	mon / ma
2. .... père travaille à Orly ?	Ton / Ta
3. Tu veux .... numéro de téléphone ?	mon / ma
4. Tu peux me prêter .... voiture ?	sa / ta
5. Zut ! J'ai perdu .... clés !	ma / mes
6. Il voyage avec .... enfants.	ses / son

16. Les adjectifs possessifs

Complétez les phrases suivantes.

1. C'est ma .... Elle s'appelle Julie.

   sœur / frère / cousin

2. Voici mon .... Elle habite à Cannes.

   grand-mère / amie / grand-père

3. Mon .... est rue de Lille.

   boulangerie / voiture / hôtel

4. Ton ...., c'est bien le 04 75 12 12 ?

   adresse / numéro de téléphone / nom

5. Il est marié avec ma ....

   femme / sœur / cousin

6. Tu as vu mes .... ?

   journal / lunettes / clé

17. La ponctuation

Écoutez, lisez, et rétablissez la ponctuation et les majuscules.

je m'appelle judith miller je suis petite et jolie j'ai 22 ans et j'habite à marseille rue marcel pagnol je travaille chez moi sur mon ordinateur je suis informaticienne j'aime la danse la musique techno et j'aime bien cuisiner j'ai une petite sœur magali elle est à l'université téléphone-moi au 04 78 60 60 82 ou écris-moi à l'adresse suivante

judith.miller@infonet.fr

18. Le passé composé

**Mettez les verbes entre parenthèses
au passé composé.**

1. Pierre, je le connais, j'(habiter) .... 10 jours chez lui.
2. En juillet, j'(visiter) .... l'Égypte.
3. Il (regarder) .... le match de foot à la télé.
4. Nous (adorer) .... le Brésil !
5. Vous (manger) .... au restaurant.
6. Jeudi, on (travailler) .... toute la soirée.
7. J'(parler) .... français toute la journée.
8. Tu (trouver) .... la solution ?
9. Hier soir, j'(rencontrer) .... ta sœur.
10. Tu (téléphoner) .... à Marcelle ?

19. Singulier / pluriel

**Écoutez et dites si on parle d'une personne,
de plusieurs personnes ou si on ne peut pas savoir.**

	une personne	plusieurs personnes	?
1.	☐	☐	☐
2.	☐	☐	☐
3.	☐	☐	☐
4.	☐	☐	☐
5.	☐	☐	☐
6.	☐	☐	☐
7.	☐	☐	☐
8.	☐	☐	☐
9.	☐	☐	☐
10.	☐	☐	☐

20. Singulier / pluriel

**Écoutez et trouvez les points communs entre ces deux
personnes. Rédigez un petit texte pour les présenter.**

21. Le pluriel
des verbes au présent

Complétez en conjuguant les verbes indiqués.

1. Nous (aller) .... au Portugal en été.
2. Ils (faire) .... du ski à Noël.
3. Mes amis ne (comprendre) .... rien du tout.
4. Vous (écrire) .... à qui ?

5. Ils (lire) .... *Le Monde* tous les jours.
6. Tes amies (parler) .... bien français.
7. Ils (travailler) .... dans une banque.
8. Tes parents (être) .... là ?
9. Nous (avoir) .... soif !
10. Les tziganes (voyager) .... beaucoup.

22. Le, la, l', les, /
un, une, des

Complétez les phrases.

1. La société Info Mex recherche .... informaticiens.
2. Maxime habite .... petite maison.
3. J'habite .... petit appartement,
   c'est .... appartement des Duval. Ils sont en Inde.
4. J'ai rendez-vous à 20 heures place de .... hôtel
   de ville.
5. Vous connaissez certainement monsieur Pei.
   C'est .... architecte célèbre. C'est .... architecte
   de la Pyramide du Louvre.

23. Les nombres

Notez les nombres entendus.

	nombres
1.	....
2.	....
3.	....
4.	....
5.	....
6.	....
7.	....
8.	....

24. La négation

Mettez les phrases à la forme négative.

1. J'aime le prof de français. ....
2. Christian travaille le dimanche. ....
3. Tu connais Mexico ? ....
4. Elle parle beaucoup de langues. ....
5. Je veux travailler. ....

Demander et donner de l'info

6. J'ai faim ! ....

7. Elle est française. ....

8. Il est marié. ....

9. Caroline est sympathique. ....

10. Il va au bureau. ....

25. Les professions
Complétez en choisissant.

1. Mon père est .... à l'université.

banquier / professeur / boucher

2. Je suis .... à *Libération*.

boulanger / pilote / journaliste

3. Elle est .... au supermarché.

caissière / journaliste / professeur

4. Le .... est passé. Il y a une lettre pour toi.

professeur / coiffeur / facteur

5. Mon .... fait un pain excellent.

boucher / boulanger / plombier

6. J'ai laissé ma voiture dans le garage de la rue Lepic.

Le .... va la réparer.

plombier / pharmacien / mécanicien

26. Conjugaisons
Complétez en utilisant le verbe entre parenthèses.

1. Vous (travailler) .... samedi ?

2. Nous (aller) .... au cinéma jeudi soir.

3. On (écrire) .... à Pierre ?

4. Ils (parler) .... un peu français.

5. On (aller) .... à la piscine, mercredi ?

6. Nous (avoir) .... cinq semaines de congé.

7. Il (s'appeler) .... Michaël.

8. Le dimanche, je (dormir) .... jusqu'à midi.

9. J'(habiter) .... au 26 boulevard Voltaire.

27. Les dates
Écrivez les dates en chiffres.

1. 1789   **6.** ....

2. ....   **7.** ....

3. ....   **8.** ....

4. ....   **9.** ....

5. ....   **10.** ....

28. Présentations
Écrivez un texte à partir des informations données.

Hélène Perrin

infirmière à l'hôpital Necker

28, rue du docteur Roux

Vanves

mariée

deux enfants

loisirs : cinéma, livres, danse

29. À la radio
**Écoutez le dialogue
et dites à quel texte il correspond.**

Je m'appelle Caroline. J'ai 18 ans. J'habite La Rochelle. Je suis vendeuse au magasin Packvert. J'aime le rock.

Je m'appelle Carla. J'habite à Chelles. Je travaille au lycée Jacques Prévert. Je suis professeur. J'aime le hip hop.

Je m'appelle Carole. J'ai 18 ans. J'habite à Sarcelles. Je suis serveuse. J'aime le rock et le rap.

30. On / nous / il / elle
Complétez avec on, nous, il ou elle.

1. Dis, chéri, ... va au cinéma ce soir ?

2. .... va bien, ton frère ?

3. .... allons au Futuroscope jeudi.

4. Au Brésil, ... parle portugais.

5. Ma sœur et moi, ... habitons boulevard Voltaire.

6. .... partage le gâteau en combien de parts ?

7. J'ai téléphoné à Marie, mais .... n'est pas à la maison.

8. .... est bien tous les deux, hein, mon lapin !

31. Accents
Mettez les accents qui conviennent.

1. Mon frere habite au Bresil.

2. On va au cinema vendredi ?

3. Elle est professeur a l'ecole Jacques Prevert.

4. Je suis etudiante en troisieme annee de medecine.

5. Il s'appelle Rene, il est ne a Montpellier.

2

À la fin de ce parcours, l'apprenant sera capable de réagir en exprimant ses goûts et ses opinions. Il pourra commencer à se situer dans le passé. Il saura caractériser brièvement les personnes, les lieux et les objets. Il sera également capable de proposer et d'accepter ou de refuser des propositions.

Réagir, interagir

MOI, JE...

SÉQUENCE 5

OBJECTIFS

SAVOIR-FAIRE
- exprimer ses goûts et ses opinions

GRAMMAIRE
- les démonstratifs
- les pronoms compléments

LEXIQUE
- goûts et opinions

PHONÉTIQUE
- intonations positives ou négatives

ÉCRIT
- rédiger un texte de présentation

• J'adore, je déteste

Associez les images aux dialogues et dites, pour chaque enregistrement, si la personne qui répond exprime une opinion positive ou négative.

Dialogue témoin
- Comment tu trouves cette robe ?
- Ouah ! elle est super !

a ☐

b ☐

c ☐

d ☐

e ☐

f ☐

	dial	1.	2.	3.	4.	5.	6.
aime	☒	☐	☐	☐	☐	☐	☐
n'aime pas	☐	☐	☐	☐	☐	☐	☐

• J'aime un peu, beaucoup, passionnément

Écoutez et dites si la personne qui répond aime un peu, beaucoup, passionnément, à la folie ou pas du tout ce dont on parle.

C O M P R E N D R E

Dialogue témoin

Il m'aime,

un peu,

beaucoup,

passionnément,

à la folie,

pas du tout !

Les mots pour le dire

+ + +	adorer
+ +	aimer
+	apprécier
–	ne pas aimer
– –	ne pas supporter
– – –	détester

aime	1.	2.	3.	4.	5.	6.	7.	8.	9.	10.
un peu	☐	☐	☐	☐	☐	☐	☐	☐	☐	☐
beaucoup	☐	☐	☐	☐	☐	☐	☐	☐	☐	☐
passionnément	☒	☐	☐	☐	☐	☐	☐	☐	☐	☐
à la folie	☐	☐	☐	☐	☐	☐	☐	☐	☐	☐
pas du tout	☐	☐	☐	☐	☐	☐	☐	☐	☐	☐

• Phonétique : intonation

1. Écoutez et dites si la réaction est positive ou négative.

	positive	négative
1.	☐	☐
2.	☐	☐
3.	☐	☐
4.	☐	☐
5.	☐	☐
6.	☐	☐
7.	☐	☐
8.	☐	☐
9.	☐	☐
10.	☐	☐

2. Choisissez deux propositions et réagissez, de façon positive pour la première et négative pour la seconde.

- Attendre sous la pluie.
- Boire du jus de tomates.
- Travailler le dimanche.
- Se réveiller à 6 heures.
- Partir en vacances en février.
- Avoir un bon salaire.

- Parler français.
- Sauter à l'élastique.
- Voir un film de 3 heures.
- Passer un après-midi à la plage.
- Avoir chaud, avoir froid.

• Exercice : aimer + nom, aimer + infinitif

Transformez les phrases en utilisant le verbe suivi d'un infinitif.   Exemple : J'aime la lecture → J'aime lire.

1. J'adore les voyages. → ....

2. Je déteste le travail. → ....

3. J'aime bien la danse. → ....

4. Je n'aime pas du tout le dessin. → ....

5. J'aime beaucoup la marche. → ....

6. J'aime la natation. → ....

7. Je déteste la cuisine. → ....

8. J'aime bien le jardinage. → ....

PARLER

• Moi, j'aime...

Dites ce que vous aimez personnellement et trouvez dans la classe quelqu'un qui a les mêmes goûts que vous.

regarder la télévision

lire

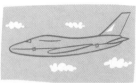

prendre l'avion

nager

conduire en ville

jouer au football

se promener

marcher sous la pluie

COMPRENDRE PARLER

• Des goûts et des couleurs

Écoutez et dites quelle est la destination choisie.

Dialogue témoin

Ce qu'on fait
en décembre ?
Tu nous connais !
On n'aime pas du tout
le bruit, la foule...
alors...

a ☐

b ☐

c ☐

d ☐

• Critiques

De quel spectacle parlent-ils ? Faites correspondre les dialogues aux documents.

Himalaya, l'enfance d'un chef

Le film d'Éric Valli raconte l'histoire de deux caravanes menées, l'une par le vieux chef de village, l'autre par le jeune et brave Karma. Ce film d'aventures est un grand bol d'air pur et une réflexion sur le courage, la sagesse, le respect des anciens…

Irma la douce

Clotilde Courau est la révélation de l'année. Cette actrice sympathique joue, chante et danse et les spectateurs sont fascinés par le spectacle sur scène.

Paroles

Extraits de l'œuvre de Jacques Prévert. Cette œuvre est l'occasion pour les deux comédiennes, Catherine Arditi et Brigitte Fossey d'une vraie conversation poétique. Ces comédiennes sont formidables.

Jacques Prévert

Pour montrer une personne, un objet
Pour parler de quelque chose, de quelqu'un déjà cité

masculin	féminin
ce + nom avec consonne	**cette** + nom avec consonne
Tu connais **ce** garçon ?	Tu aimes **cette** fille ?
cet + nom avec voyelle ou certains h	
Tu connais **cet** acteur ? / Tu connais **cet** hôtel ?	

pluriel

Ces comédiennes sont formidables.

Pour remplacer un nom

masculin	féminin
Tu connais ce garçon ?	Tu connais cette fille ?
Oui, je **le** connais et je **l'**aime.	Oui, je **la** connais, pourquoi ?

l' + verbe avec voyelle

*Je **l'**aime.*

pluriel

*Mathieu et Marie, on **les** connaît bien.*

• Exercice : les démonstratifs

Complétez avec ce, cet, cette ou ces.

1. Tu connais .... acteur ?
2. Comment tu trouves .... chaussures ?
3. Nous avons rendez-vous dans .... hôtel.
4. Qu'est-ce que tu penses de .... tableau?
5. Lis .... livre, il est génial.
6. Nous avons acheté .... voiture.
7. Il habite au 3ᵉ étage de .... immeuble.
8. Il fait très froid .... hiver.
9. On va au cinéma .... soir ?
10. Ils sont gentils .... enfants.

• Exercice : les pronoms

Complétez en choisissant.

1. Je le trouve confortable.
   ☐ le sofa ☐ la chaise ☐ les lits
2. Je la déteste.
   ☐ les filles ☐ Michèle ☐ Michel
3. Je les rencontre lundi.
   ☐ les professeurs ☐ le directeur ☐ l'étudiant
4. Je l'adore.
   ☐ les escargots ☐ la charlotte ☐ les grenouilles
5. Tu les trouves sympathiques ?
   ☐ ce garçon ☐ cet homme ☐ ces filles

Sympa !

Écoutez et cochez les adjectifs que vous avez entendus et dites si l'opinion exprimée est positive ou négative.

❒ sympathique ❒ agréable ❒ modeste ❒ stupide

❒ drôle ❒ bête ❒ beau ❒ charmant

❒ méchant ❒ gentil ❒ joli ❒ moche

❒ généreux ❒ égoïste ❒ laid ❒ ravissant

❒ antipathique ❒ cultivé ❒ génial ❒ amusant

❒ désagréable ❒ intelligent

Moi, je suis...

Écoutez et choisissez parmi les phrases celles qui correspondent au dialogue puis rédigez un petit texte de présentation.

Je suis informaticienne.
Je suis pharmacienne.
Je suis esthéticienne.

J'adore le saut en parachute.
J'adore le saut à l'élastique.
J'adore le parapente.

Je suis partie avec ma cousine.
Je suis partie avec mes cousins.
Je suis partie avec mon cousin.

J'ai 20 ans.
J'ai 15 ans.
J'ai 25 ans.

Je suis allée en Islande cet été.
Je suis allée en Hollande cet été.
Je suis allée en Irlande cet été.

J'habite à Deauville.
J'habite à Bonneville.
J'habite à Trouville.

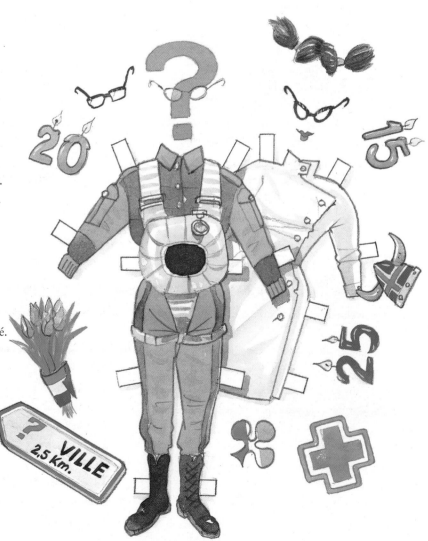

RENSEIGNEMENTS

DÉCOUVRIR

OBJECTIFS

SAVOIR-FAIRE
- demander, donner un renseignement
- localiser
- quantifier

GRAMMAIRE
- du / de la / des
- le conditionnel de politesse

LEXIQUE
- commerces, alimentation

PHONÉTIQUE
- [b] / [v]

ÉCRIT
- utiliser des documents écrits pour donner une information

CULTURES
- gestes et mimiques

• Pardon ?

Écoutez et dites si la personne qui pose une question obtient une réponse satisfaisante.

Dialogue témoin
- S'il vous plaît, monsieur, vous avez l'heure ?
- Il est midi et demi.

1

2

3

4

COMPRENDRE PARLER

• Les courses

Écoutez et dites où ils sont et ce qu'ils achètent.

Pour quantifier

**Pour indiquer
une quantité précise**

*J'achète un camembert,
un litre de lait,
deux kilos d'oranges et
six œufs.*

**Pour parler
d'une chose en général**

*J'aime le poisson et
j'adore la glace au chocolat.
Vous aimez
les oranges ?*

**Pour parler
d'une quantité imprécise**

*Je veux du fromage.
Je mange de la glace.
Je veux des oranges
et des œufs.
J'achète de l'huile.*

• Exercice :
du / de la / de l' / des

Complétez en choisissant le mot qui convient.

1. Je veux de la ....

  sucre   farine   sel

2. Achète de la ....

  viande   poisson   légumes

3. Pour le déjeuner, il y a des ....

  riz   pâtes   purée

4. Au petit déjeuner, je prends du ....

  confiture   miel   céréales

5. Comme dessert, il y a des ....

  gâteau   glace   fruits

6. Dans cette épicerie, on trouve du ....

  crème   fromage   œufs

7. Vous avez de l' ....

  œuf   huile   beurre

• Phonétique : [b] / [v]

**Écoutez et dites
si vous avez entendu
le son [b] ou le son [v].**

	[b]	[v]
1.	❏	❏
2.	❏	❏
3.	❏	❏
4.	❏	❏
5.	❏	❏
6.	❏	❏
7.	❏	❏
8.	❏	❏
9.	❏	❏
10.	❏	❏

● Demander

Écoutez et dites où ça se passe. Dites ce qui est demandé et si la demande est satisfaite ou non.

Réécoutez et identifiez la formule utilisée.

Dites où ça se passe.

❏ à la boulangerie

❏ devant un distributeur de boissons

❏ dans une agence de voyages

❏ au téléphone

Dialogue témoin

- Est-ce que vous pourriez
  m'aider à porter ma valise ?
- Mais oui, pas de problème !

Dites ce qui est demandé.

❏ de la monnaie

❏ des renseignements pour un voyage

❏ de la nourriture

❏ un service

Dites si la demande est satisfaite ou non.

1. ❏ oui   ❏ non
2. ❏ oui   ❏ non
3. ❏ oui   ❏ non
4. ❏ oui   ❏ non

Identifiez la formule utilisée.

❏ Est-ce que vous auriez…

❏ Je voudrais…

❏ Est-ce que tu peux…

❏ J'aimerais…

pouvoir		**vouloir**		**aimer**	**avoir**
présent	conditionnel	présent	conditionnel	conditionnel	conditionnel
je peux	je pourrais	je veux	je voudrais	j'aimerais	j'aurais
tu peux	tu pourrais	tu veux	tu voudrais	tu aimerais	tu aurais
il / elle / on peut	il / elle / on pourrait	il / elle / on veut	il / elle / on voudrait	il / elle / on aimerait	il / elle / on aurait
nous pouvons	nous pourrions	nous voulons	nous voudrions	nous aimerions	nous aurions
vous pouvez	vous pourriez	vous voulez	vous voudriez	vous aimeriez	vous auriez
ils / elles peuvent	ils / elles pourraient	ils / elles veulent	ils / elles voudraient	ils / elles aimeraient	ils / elles auraient

• Passe-moi le sel !

Choisissez la formulation qui convient le mieux à chaque situation.

Pour dire à quelqu'un de faire quelque chose

De façon très polie

S'il vous plaît, madame, est-ce que vous pourriez répéter ?

De façon polie

S'il te plaît, Pierre, tu peux aller à la boulangerie ?

De façon directe

Va à la boulangerie !

Taisez-vous !

Passe-moi le pain !

PARLER

• S.O.S.

**Téléphonez à l'une de ces personnes
et formulez votre demande.**

Dialogue témoin

- Vous êtes bien chez *Pizzaïolo*, laissez votre message !
- Bonjour, je voudrais une pizza margarita pour quatre personnes, s'il vous plaît. Pour 8 heures et demie. C'est madame Berthier, au 26 rue de la Pompe, dans le 16ᵉ, le code est A 56 48, 4ᵉ étage à gauche. Merci.

le plombier

le dentiste

le vétérinaire

le serrurier

• Exercice : expression de la demande

Reformulez de façon polie ou de façon directe.

1. Téléphonez demain !
2. Fermez la porte !
3. Taisez-vous !
4. Un kilo d'oranges !
5. Attendez !
6. Donne-moi dix euros.

7. Passe-moi le journal !
8. Marie, pourriez-vous aller à la gare demain à 7 heures ?
9. S'il te plaît, Jean, est-ce que tu peux téléphoner à ton père ?
10. Est-ce que vous pouvez parler plus fort ?
11. Est-ce que tu peux finir ton travail ce soir ?
12. Est-ce que vous pourriez céder votre place à cette personne ?

Réagir, interagir

• Vos mains ont la parole

COMPRENDRE CONNAÎTRE PARLER

Écoutez et identifiez les gestes ou mimiques correspondant à chaque enregistrement.

Dites si ces gestes sont les mêmes dans votre pays.

a ☐ **b** ☐ **c** ☐

d ☐ **e** ☐ **f** ☐

COMPRENDRE LIRE PARLER

• Répondez !

Écoutez et donnez l'information demandée en vous aidant des documents suivants.

cabriole

Les funambules
ELSA POK

Un soir, deux amis funambules s'en vont vers les étoiles.
Et hop, par-dessus la forêt... Et hop, par-dessus l'océan...
Un texte léger comme une bulle de savon... Des trouvailles
graphiques à toutes les pages...

47 2074 4 / 55 F

Les trois géants
EMMANUELLE HOUDART

Le géant blanc n'a qu'une dent depuis longtemps...
Mais qu'en est-il du géant noir et du géant bleu ?
Tous trois se sont allongés sur les pages du livre, entourés
d'une ribambelle de petits personnages amusants.
Bien des choses se passent pendant leur sommeil...

47 2048 8 / 55 F

Le rap du loup
NATHALIE LÉGER-CRESSON / ÉRIC GASTE

Voici le loup sauvage aux aguets.
Les lapins, oiseaux et écureuils n'ont qu'à bien se tenir !
La colère du loup monte de page en page ; il tourne, vire,
jusqu'à ce qu'il soit prêt à bondir.
Mais ses petits amis n'ont pas peur de ses cris.

47 2067 8 / 55 F

des petits livres légers comme des bulles !

1-3---- 23.25 A 05.25a	AF826	→	28/03-27/10	-2-4--- 22.30 06.30a A AF825		→ 30/03-29/10
----67 10.15 A 16.15	AF820	→	28/03-30/10	----67 22.30 06.30a A AF821		→ 28/03-24/10
→ Lima			-5:00	**← Lima**		**LIM**
1--4-6- 10.15 C 19.55	AF422/PL633	BOG 28/03-30/10		-2--5-7 11.30 08.35a C PL630/AF471		CCS 28/03-29/10
				----6- 08.00 08.15a C PL888/AF805		MIA 18/04-23/10
				-----6- 11.30 08.35a C PL630/AF471		CCS 12/06-23/10
→ Limoges			+2:00	**← Limoges**		**LIG**
12345-- 09.05 W 10.15	AF5711	→	28/03-29/10	123456- 07.20 08.30 W AF5710		→ 29/03-30/10
----6- 09.40 W 10.50	AF5717	→	03/04-30/10	--345-- 11.05 12.15 W AF5716		→ 31/03-08/07
--345-- 13.00 W 14.10	AF5717	→	31/03-08/07	--345-- 11.05 12.15 W AF5716		→ 08/09-29/10
--345-- 13.00 W 14.10	AF5717	→	08/09-29/10	1234567 13.10 14.35 D AF5718		→ 28/03-30/10
1234567 16.20 D 17.35	AF5718	→	28/03-30/10	12345-- 15.30 16.40 W AF5712		→ 29/03-30/10
12345-- 17.25 W 18.35	AF5713	→	28/03-30/10	12345-- 15.30 16.40 W AF5712		→ 30/08-29/10
12345-- 17.25 W 18.35	AF5713	→	30/08-29/10	1234567 19.20 20.30 W AF5714		→ 28/03-29/10
12345-7 21.05 W 22.15	AF5715	→	28/03-29/10			
→ Lisbonne			+1:00	**← Lisbonne**		**LIS**
1234567 08.00 F 09.30	AF1024	→	28/03-30/10	1234567 07.40 11.10 F AF2125		→ 28/03-30/10
1234567 10.25 F 11.55	AF1324	→	28/03-30/10	1234567 11.10 14.40 F AF1025		→ 28/03-30/10
1234567 13.00 F 14.30	AF1624	→	28/03-30/10	1234567 14.00 17.30 F AF1225		→ 28/03-30/10
1234567 15.45 F 17.15	AF1924	→	28/03-30/10	1234567 15.40 19.10 F AF1625		→ 28/03-30/10
1234567 19.25 F 20.55	AF2124	→	28/03-30/10	1234567 18.30 22.00 F AF1825		→ 28/03-30/10

Réservation : 0 802 802 802 (0.79 F TTC/mn) - **3615 3616 AF** (1.29 F TTC/mn)

ANTICIPATION

OBJECTIFS

SAVOIR-FAIRE
- se situer dans le passé
- caractériser

GRAMMAIRE
- le passé composé
- le verbe *aller*
  au passé composé
- le pluriel

LEXIQUE
- verbes d'action

PHONÉTIQUE
- [ʃ] / [ʒ] / [z]

ÉCRIT
- rédiger une carte postale

CULTURES
- l'euro

COMPRENDRE

• Vous avez passé un bon week-end ?

Écoutez et mettez en relation les enregistrements et les images.

Dialogue témoin

- Tu as passé un bon week-end ?
- Oui, on est allé chez des amis près de Tours. On a visité le château de Chenonceaux.

b ☐

a ☐

c ☐

• Itinéraire sonore

Écoutez et dites ce qu'a fait le personnage au cours de la journée.

aller

passé composé masculin

je suis allé

tu es allé

il est allé

nous sommes allés

vous êtes allé(s)

ils sont allés

passé composé féminin

je suis allée

tu es allée

elle est allée

nous sommes allées

vous êtes allée(s)

elles sont allées

Grammaire : construction du passé composé

Pour l'immense majorité des verbes : **avoir + participe passé**.

J'ai travaillé, tu as fini, il a compris, nous avons perdu, vous avez entendu, ils ont ouvert…

Certains verbes forment leur participe passé avec le verbe **être.**

(**aller**, **partir** et d'autres que vous découvrirez plus loin).

Règle générale : les participes passés se terminent par l'un de ces 3 sons : [e], [i] ou [y].

Participe passé en é : tous les verbes en **-er**. *J'ai mangé, j'ai parlé, je suis allé, je suis entré…*

Participe passé en i, is, it : *j'ai fini, j'ai compris, j'ai dit.*

Participe passé en u : *j'ai vu, j'ai entendu, j'ai perdu…*

Exception : une dizaine de verbes courants.

mourir : *il est mort ;* **faire :** *j'ai fait ;* **ouvrir :** *j'ai ouvert ;* **peindre :** *j'ai peint.*

REPRISE

• Vive l'euro !

Janvier 2002, le franc français disparaît.
Les échanges ont lieu en euros.

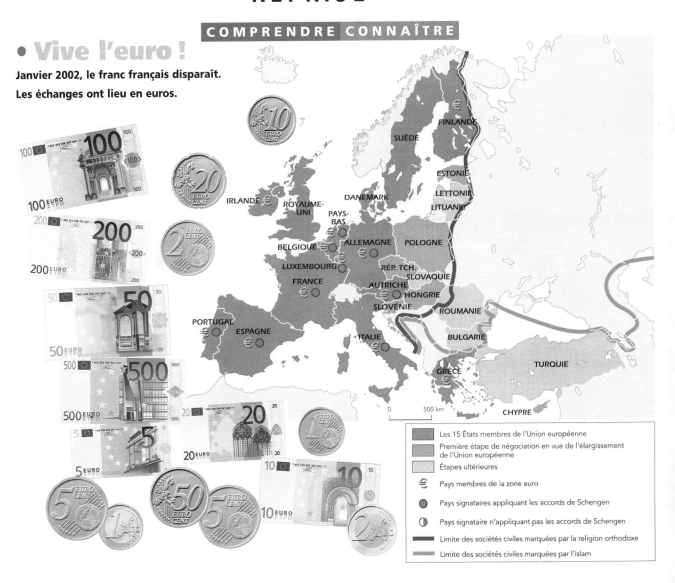

Les 15 États membres de l'Union européenne

Première étape de négociation en vue de l'élargissement de l'Union européenne

Étapes ultérieures

€ Pays membres de la zone euro

⬤ Pays signataires appliquant les accords de Schengen

◑ Pays signataire n'appliquant pas les accords de Schengen

━ Limite des sociétés civiles marquées par la religion orthodoxe

━ Limite des sociétés civiles marquées par l'islam

Voici quelques objets et leur prix en euros.

Le Monde

1,20 €

5 €

SALLE 4
GAUMONT MARIGNAN
11.01.00   20H15
SPECIAL 2   FF 30.00

TARZAN (DISNEY) VO
11.01 20:10 13 000083 265467
Ni repris, ni échangé

1,55 €

0,75 €

0,65 €

• Histoire d'un objet

Écoutez et dites dans quel dialogue :

l'objet évoqué est :
- ☐ un pull-over
- ☐ ce pull-over
- ☐ ton pull-over

la personne évoquée est :
- ☐ madame Martin
- ☐ Françoise Martin
- ☐ mon prof de français
- ☐ une bonne cliente
- ☐ cette dame
- ☐ la fille au pull-over rose

Dialogue témoin

- Je voudrais un pull-over.
- Quel genre de pull-over ?
- Je ne sais pas.
- Venez, je vais vous montrer.

1

2

3

4

5

Les mots pour le dire : caractériser une personne ou un objet

un objet

un objet indéterminé : **un / une / des**
un pantalon, une robe, des lunettes

un objet que l'on montre : **ce / cet / cette / ces**
ce pantalon, cet imperméable, cette robe, ces lunettes

un objet que l'on identifie : **le / la / les**
le pantalon vert, la robe bleue, les lunettes rondes

un objet qui appartient à quelqu'un :
son pantalon, ta robe, mes lunettes

une personne

une personne indéterminée : **un / une / des**
un ami, une cliente, des copains

une personne que l'on montre : **ce / cet / cette / ces**
ce garçon, cet homme, cette fille, ces enfants

une personne que l'on identifie : **le / la / les**
le garçon en bleu, la fille à lunettes, les enfants de Paul

une personne qui a un lien avec vous :
mon professeur d'espagnol, ma fille, mes parents

PARLER

● L'homme à la voiture rouge

Regardez les images et imaginez ce que disent les personnages.

1

2

3

4

5

6

● Exercice : singulier / pluriel

1. Écoutez et dites si on parle d'une personne, de plusieurs personnes ou si on ne peut pas savoir.

2. Lisez et dites si on parle d'une personne, de plusieurs personnes ou si on ne peut pas savoir. Comparez les deux tableaux.

	une personne	plusieurs personnes	on ne peut pas savoir		une personne	plusieurs personnes	on ne peut pas savoir
1.	☐	☐	☐	1. Il vit en France.	☐	☐	☐
2.	☐	☐	☐	2. Elle travaille beaucoup.	☐	☐	☐
3.	☐	☐	☐	3. Ils arrivent bientôt.	☐	☐	☐
4.	☐	☐	☐	4. Elles viennent souvent ici ?	☐	☐	☐
5.	☐	☐	☐	5. Ils sortent à 6 heures.	☐	☐	☐
6.	☐	☐	☐	6. Ils apprennent vite.	☐	☐	☐
7.	☐	☐	☐	7. Qu'est-ce qu'elles disent ?	☐	☐	☐
8.	☐	☐	☐	8. Elles chantent bien.	☐	☐	☐
9.	☐	☐	☐	9. Ils prennent des vacances ?	☐	☐	☐
10.	☐	☐	☐	10. Ils cherchent du travail.	☐	☐	☐

Réagir, interagir

• Carte postale

Rédigez la carte postale en vous aidant des indications données.

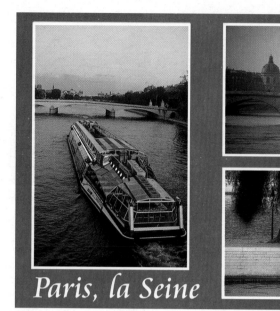

Paris, la Seine

Cher + **prénom**
Chère + **prénom**
Chers tous
Mon chéri / Ma chérie
Ma poulette / Mon lapin
Mon ange

Gros bisous
Amitiés
Amicalement
Cordialement
Baisers
Affectueusement

Lieu	Activité	Qualification
La ville est magnifique.	Je visite tous les musées.	C'est très intéressant.
J'aime beaucoup cette ville…	J'ai visité…	C'est passionnant.
C'est une ville très animée.	Je me promène toute la journée.	C'est fatigant.

Rédigez :

1. Une phrase pour dire où vous êtes.

2. Une phrase pour qualifier ce lieu.

3. Une phrase pour dire ce que vous faites.

4. Une phrase pour donner votre opinion sur cette activité.

• Phonétique : [ʃ] / [ʒ] / [z]

Écoutez et dites quelle phrase vous avez entendue.

1.
☐ Tu l'as bouché ?
☐ Tu l'as bougé ?

2.
☐ Garçon ! Une bière fraîche !
☐ Garçon ! Une bière fraise !

3.
☐ Qu'est-ce qu'il fait, Jo ?
☐ Qu'est-ce qu'il fait chaud !

4.
☐ J'aime bien les œufs.
☐ J'aime bien les jeux.

5.
☐ Quelle belle rose !
☐ Quelle belle roche !

6.
☐ Elle est au zoo.
☐ Elle est au chaud.

7.
☐ J'aime beaucoup les bijoux.
☐ J'aime beaucoup les bisous.

8.
☐ Ces chants sont merveilleux.
☐ Ces gens sont merveilleux.

D'ACCORD ? PAS D'ACCORD ?

OBJECTIFS

SAVOIR-FAIRE
• proposer, accepter, refuser
GRAMMAIRE
• l'impératif
• le conditionnel
LEXIQUE
• acceptation, refus
ÉCRIT
• rédiger un message pour proposer, accepter ou refuser
CULTURES
• les repas en France

● Propositions en tous genres

Associez les enregistrements et les images.

Sur quoi portent les propositions ?

Dialogue témoin
- Je peux vous aider ?
- Volontiers ! Attention, elle est très lourde !

a ☐

b ☐

c ☐

d ☐

Propositions
☐ aider quelqu'un
☐ prendre un café
☐ inviter quelqu'un au restaurant
☐ faire un voyage
☐ aller se coucher

● Drôles d'idées !

On leur a proposé quelque chose, ils ont accepté. Essayez de formuler les propositions.

**Les mots pour le dire :
différentes façons de proposer**

Avec l'impératif

Viens à la maison, vendredi !

Avec pouvoir au conditionnel

Tu pourrais venir à la maison vendredi.

Avec pouvoir au présent

Tu peux venir à la maison vendredi ?

Avec le présent

Tu viens à la maison, vendredi ?

Sans verbe

Rendez-vous vendredi à la maison, OK ?

● Avec plaisir !

Écoutez et dites si les personnes acceptent ou refusent.

Cochez, parmi les expressions de la liste, celles que vous avez entendues.

	acceptation	refus
1.	☐	☐
2.	☐	☐
3.	☐	☐
4.	☐	☐
5.	☐	☐
6.	☐	☐
7.	☐	☐
8.	☐	☐
9.	☐	☐
10.	☐	☐

Dialogue témoin

- Tu viens avec moi chez Marcel ce soir ? C'est son anniversaire.
- Ah non, pas question, j'ai du travail !

☐ oui
☐ non
☐ avec plaisir
☐ je ne sais pas
☐ sans façon
☐ pas de problème
☐ certainement pas
☐ OK
☐ pas maintenant
☐ d'accord
☐ pas tout de suite
☐ ah non !
☐ tout à fait
☐ non, merci
☐ oui, volontiers
☐ bien sûr
☐ pas question
☐ tout à l'heure

Les mots pour le dire

réaction	acceptation	refus
simple	Oui.	Non.
	Oui, volontiers.	Non, merci.
	D'accord.	Désolé.
	Tout à fait.	Ah non !
	OK.	Certainement pas !
	Pas de problème !	Pas question !
	Bien sûr.	
	Avec plaisir !	
	Chouette !	
avec ajout d'une appréciation ou d'une explication	C'est génial !	Non, je trouve ça nul !
	C'est une bonne idée.	Désolé, ça ne m'intéresse pas.
		Non merci, jamais le soir.
acceptation ou refus reporté à plus tard	On en reparle.	Pas maintenant.
		Pas tout de suite.
		Tout à l'heure.

Réagir, interagir

• Post-it

Lisez les messages suivants. Écoutez, puis formulez les réponses (acceptation ou refus)
selon les indications données par monsieur Martin.

1

Monsieur Martin
votre banquier
a appelé trois fois.
Il faut le rappeler,
c'est urgent.

2

Votre femme
a téléphoné
pour vous rappeler
que vous allez
au concert ce soir
à 20 heures.

3

Madame Pignon voudrait
un rendez-vous
lundi 22 à 8 heures.
Pouvez-vous l'appeler
après 17 heures ?

4

Un message
de la direction :
Vous avez un dîner
ce soir avec
le nouveau directeur.

• Exercice : le conditionnel

Écoutez les propositions
et dites si c'est le conditionnel qui a été utilisé.

	conditionnel	autre
1.	☐	☐
2.	☐	☐
3.	☐	☐
4.	☐	☐
5.	☐	☐
6.	☐	☐
7.	☐	☐
8.	☐	☐
9.	☐	☐
10.	☐	☐

• Exercice : le refus

Écoutez et dites de quel type de refus il s'agit.

	refus simple	refus expliqué	refus reporté
1.	☐	☐	☐
2.	☐	☐	☐
3.	☐	☐	☐
4.	☐	☐	☐
5.	☐	☐	☐
6.	☐	☐	☐
7.	☐	☐	☐

LIRE COMPRENDRE PARLER

• Jour de fête

Lisez les messages suivants. Écoutez et dites qui parle.

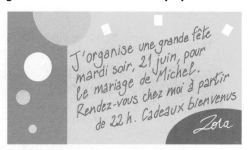

J'organise une grande fête mardi soir, 21 juin, pour le mariage de Michel. Rendez-vous chez moi à partir de 22 h. Cadeaux bienvenus
Zola

a

Zora
Impossible mardi, je travaille avec Chloé, tu ne peux pas faire ta fête dimanche ?
Bises, Bruno

b

Chère Zora, désolée, mardi, je ne peux pas. J'ai du travail. Bien à toi, Chloé

c

Chère Zora, Une grande fête c'est toujours un plaisir ! Mais je ne suis pas libre mardi.
À bientôt Julien

d

Zora, pour une fois, je peux, je suis libre ! À mardi, Suzy

e

DOMINIQUE

Désolé, mardi, je suis à Nice pour un congrès, embrasse Michel de ma part,

Dominique

f

			Net:		
Précédente	Suivante	Recharger	Accueil	Rechercher	Guide

Aller   Message:

Avec plaisir !
Est-ce que Michel aime le champagne ?
À mardi, Dominique

LIRE ÉCRIRE

• Festivités

Répondez à cette invitation.
Acceptez ou refusez.
En cas de refus, donnez des excuses.

Chers Amis !!
Dominique et moi avons emménagé dans notre nouvelle maison... Pour fêter ça, on organise un petit dîner le samedi 18 à partir de 20h
On compte sur vous !!

Nous avons bien reçu votre (ta) lettre et…		Exemples d'excuses
Vous acceptez	**Vous refusez**	**en cas de refus**
C'est avec plaisir que…	Nous sommes désolé(e)s mais…	Je travaille samedi soir.
C'est bien volontiers que…	Nous regrettons de ne pouvoir venir…	Rémi est malade.
Nous sommes heureux de…	Nous aimerions venir, mais…	On part à la campagne.
C'est d'accord.	On voudrait bien, mais…	Mon chat a la grippe.

Réagir, interagir

• Les Français disent non à... LIRE COMPRENDRE

Lisez les petits textes suivants puis choisissez les bonnes réponses.

Les Français aiment manger.

Un bon repas avec des amis est toujours un plaisir.

Ils veulent manger bien,

mais ils veulent aussi manger sain.

Ils réclament la sécurité dans leur assiette.

C'est pourquoi les Français disent non

à la vache folle, au poulet à la dioxine,

au veau aux hormones,

aux légumes transgéniques,

aux tomates irradiées,

à la listeria, à la salmonelle…

C'est possible.

Les scientifiques disent qu'aujourd'hui,

on peut manger aussi bien que

nos parents et nos grands-parents.

	vrai	faux	on ne peut pas savoir
1. Les Français n'aiment pas manger.	☐	☐	☐
2. Ils aiment beaucoup la viande.	☐	☐	☐
3. Les Français aiment la sécurité.	☐	☐	☐
4. Les Français sont malades.	☐	☐	☐
5. Les scientifiques sont inquiets.	☐	☐	☐

Ma famille et moi, on déteste la pollution, c'est pourquoi nous faisons quelques actions pour aider à la diminuer. Les voici :

Action 1

Quand on va déjeuner à la campagne, on apporte un sac plastique pour nos papiers sales.

Action 2

Nous récupérons le papier. Comme ça, nous protégeons les arbres.

Action 3

L'été, on voyage à bicyclette si on ne va pas loin.

Action 4

On ne pollue pas les ruisseaux car les ruisseaux vont devenir un cimetière de poissons.

J'espère qu'on va pouvoir garder notre terre propre !

Valérie, 11 ans.

	vrai	faux
1. Valérie est écologiste.	☐	☐
2. Les parents de Valérie ne sont pas écologistes.	☐	☐
3. Ils aiment les arbres.	☐	☐
4. Ils n'aiment pas faire du vélo.	☐	☐

• Compréhension orale

Écoutez la conversation entre Fanny et Jacques. Avec qui vont-ils partir en vacances ?
Cochez les adjectifs qui caractérisent chacun de leurs amis.

Bruno
- ☐ agréable
- ☐ drôle
- ☐ sympathique
- ☐ génial
- ☐ charmant

Sidonie
- ☐ antipathique
- ☐ gentille
- ☐ désagréable
- ☐ intelligente
- ☐ jolie

Marc et Catherine
- ☐ antipathiques
- ☐ généreux
- ☐ drôles
- ☐ égoïstes
- ☐ charmants

Léa
- ☐ sympathique
- ☐ gentille
- ☐ intelligente
- ☐ agréable
- ☐ charmante

• Compréhension écrite

Lisez le texte suivant puis répondez aux questions.

Le déjeuner des Français

Beaucoup de Français (4 sur 10) déjeunent à la maison, entre midi et une heure et demie. En général, les autres déjeunent sur place, au travail, à l'école ou au lycée, dans une salle qu'on appelle la cantine, ou vont déjeuner au restaurant. À la cantine, un repas coûte entre 25 et 30 francs, au restaurant, environ 60 francs. Les étudiants, eux, déjeunent au restaurant universitaire où le repas coûte 15 francs, ou bien mangent un sandwich dans la rue ou au café. Le déjeuner se compose d'une entrée (salade, crudités ou charcuterie), d'un plat cuisiné accompagné de légumes, de fromage et d'un dessert. Le déjeuner se termine souvent par un café noir, les Français adorent ça.

	vrai	faux
1. Les Français déjeunent vers midi.	☐	☐
2. La majorité des Français déjeunent chez eux.	☐	☐
3. Le restaurant de l'école s'appelle la cantine.	☐	☐
4. À la cantine, un repas coûte environ 50 francs.	☐	☐
5. Le repas est composé d'un plat et d'un dessert.	☐	☐
6. Les Français aiment le café.	☐	☐

• Expression orale

Choisissez une des activités suivantes et proposez-la à votre voisin(e). Celui-ci ou celle-ci accepte ou refuse.

- Faire une randonnée à vélo dans les Alpes.
- Passer un week-end à Paris.
- Apprendre à danser le tango.
- Déjeuner dans un restaurant végétarien.
- Monter en haut de la tour Eiffel à pied.
- Aller voir un film d'horreur.

• Expression écrite

Envoyez un message à vos amis pour les inviter à une fête chez vous.

Précisez :
- le jour, l'heure, l'adresse ;
- la raison de la fête.

EXERCICES COMPLÉMENTAIRES

PARCOURS 2

1. Le, la, l', les

Dites à quoi correspond le, la, l', les.

1. Je l'aime beaucoup.

    mes amis / ma sœur / mes cousins

2. Je les ai achetés.

    la voiture / les croissants / le pain

3. Tu les connais ?

    Marseille / mes enfants / Julie

4. Il la trouve sympathique.

    cet homme / cette femme / ces amis

5. Je ne le connais pas.

    Suisse / ton ami suisse / la Suisse

2. Le, la, l', les

Choisissez le, la, l'ou les.

1. Mon prof de français, tu .... connais ?

2. La jolie blonde, à côté de Marcel, tu .... vois ?

3. Tu veux parler à Claire ? Invite-........ à dîner !

4. Est-ce que tu peux dire à Jules que je voudrais .... rencontrer ?

5. Ah ! Charlotte ! Je .... connais bien, et je .... aime beaucoup !

3. La, une

Complétez les phrases.

1. Quelle est .... capitale de la Géorgie ?

2. J'habite .... ville très touristique.

3. J'ai rencontré .... sœur de Marc ce matin.

4. Tu la connais, ... femme de Khaled ?

5. Je connais .... bonne pâtisserie au centre-ville.

6. L'Islande, c'est .... très grande île.

7. Prenez .... rue principale puis, à la sortie du village, ... petite rue à gauche.

4. Le, la, les, l' / un, une, des / du, de la, des, de l'

Complétez les phrases.

1. Vous aimez .... glace ?   de la / la / une

2. .... saumon coûte combien ?   Un / Du / Le

3. Si tu vas chez l'épicier, achète .... l'huile.   l' / de l' / une

4. À Noël, j'ai mangé .... foie gras.   du / le / un

5. J'adore .... huîtres de Bretagne.   des / de l' / les

6. Quand je vais en Belgique, je mange .... moules et .... frites.   des / les / de la

7. Donnez-moi .... douzaine d'œufs !   la / de la / une

5. Phonétique : [i] / [y]

Dites quelle phrase vous avez entendue.

1. ☐ C'est la vie.
   ☐ C'est la vue.

2. ☐ Quel rhume !
   ☐ Quel rime !

3. ☐ Ce n'est pas pur !
   ☐ Ce n'est pas pire !

4. ☐ Tu l'as su ?
   ☐ Tu la scies ?

5. ☐ Elle l'a lu ?
   ☐ Elle le lit ?

6. ☐ Il est humide.
   ☐ Il est timide.

7. ☐ C'était cru.
   ☐ C'est écrit.

8. ☐ Bonjour, Jules !
   ☐ Bonjour, Gilles !

6. La famille

Dites qui ils sont en vous aidant du modèle.

Exemple :

mon grand-père

➔ C'est le père de mon père ou de ma mère.

1. son oncle ➔ ....
2. tes grands-parents ➔ ....
3. ma cousine ➔ ....
4. sa tante ➔ ....
5. ma grand-mère ➔ ....
6. ton cousin ➔ ....
7. ma sœur ➔ ....
8. son frère ➔ ....

7. Ce, cet, cette, ces

Complétez les phrases.

1. Alors, tu le fais, ... exercice ?

2. On a rendez-vous dans .... petit restaurant chinois, à côté du musée Guimet.

3. - Tu la connais, ... fille ? / - Oui, c'est ma cousine.

4. J'ai une réunion .... après-midi.

5. - Qu'est-ce que tu fais .... soir ? / - Je vais au théâtre.

6. Tu les as payées combien, ... fleurs ?

7. J'ai beaucoup de travail .... semaine.

8. Où est-ce que tu as pris .... photo ? Elle est super !

9. Qu'est-ce que tu penses de .... prof ?

8. Ce, cet, cette, ces

Choisissez.

1. Je vais acheter cette ....

    ville / robe / amie

2. Est-ce que tu pourrais me prêter ce .... ?

    livre / radio / télévision

3. J'aime beaucoup ces ....

    appartements / maison / ville

4. À Paris, j'habite dans cet ....

    maison / hôtel / quartier

5. J'adore ce ....

    pays / Finlande / Londres

6. Tu vas où cet .... ?

    printemps / été / Noël

9. Expressions de temps

Complétez les phrases.

1. Je l'ai rencontré ....

    hier soir / demain matin

2. Je travaille ....

    cet après-midi / hier

3. Rendez-vous à 20 heures, ...

    ce matin / ce soir

4. Téléphone-moi ....

    mercredi / hier matin

5. Qu'est-ce que tu fais .... ?

    la semaine dernière / en juin

6. Nous partons en vacances ....

    la semaine prochaine / l'année dernière

7. J'ai écrit à mes parents ....

    demain / hier soir

10. La négation

Mettez les phrases à la forme négative.

1. Je connais Paris.

2. Il a beaucoup de travail.

3. Ils sont sympathiques.

4. Elle aime travailler le soir.

5. On attend le bus ?

6. Je veux partir.

7. Je vais au cinéma.

8. Elle aime regarder la télévision.

9. Je fais les courses.

11. Verbe + infinitif ou participe passé

Choisissez.

1. Il voudrait .... ce soir.   sorti / sortir

2. J'aime .... au restaurant.   mangé / manger

3. Hier soir, on a .... au restaurant.   mangé / manger

4. Il est ....   arriver / arrivé

5. Je vais .... à l'université.   allé / aller

6. Je suis .... à l'université.   allé / aller

7. Je n'aime pas .... la télévision.   regardé / regarder

8. Je ne sais pas .... du vélo.   fait / faire

12. Du, de la, de l', des

Écoutez et complétez le menu de chacun.

1. En entrée, Charlotte va prendre ....

    de la viande / des crudités / des fruits

2. Ensuite, elle prend ....

    des tomates / des frites / du poulet

3. Pour commencer, Julie va prendre ....

    du pain / du fromage / du foie gras

4. Ensuite, elle prend ....

    du poisson / de la viande / des légumes

5. Charles, lui, va prendre ....

    du saucisson / de la salade / des huîtres

6. Ensuite, il prend ....

    du poisson / de la viande / du fromage

13. L'impératif

Écoutez et dites si le verbe est à l'impératif ou non.

	1.	2.	3.	4.	5.	6.	7.	8.	9.	10.
impératif	☐	☐	☐	☐	☐	☐	☐	☐	☐	☐
autre	☐	☐	☐	☐	☐	☐	☐	☐	☐	☐

14. Être et avoir

Écoutez et dites si c'est être ou avoir qui est utilisé pour construire le passé composé.

	1.	2.	3.	4.	5.	6.	7.	8.	9.	10.
être	☐	☐	☐	☐	☐	☐	☐	☐	☐	☐
avoir	☐	☐	☐	☐	☐	☐	☐	☐	☐	☐

15. Les possessifs
Complétez les phrases.

1. Ce soir, je dîne avec mon ....
     oncle / tante / frères
2. Tu peux passer me prendre à mon .... ?
     hôtel / maison / banque
3. Où est ton .... ?
     bicyclette / voiture / auto
4. Elle a perdu son ....
     carte bancaire / sac / clés
5. Quelle est son .... ?
     adresse / numéro de téléphone / code
6. J'ai rendez-vous avec sa ....
     amie / ami / sœur

16. Proposer
**Trouvez les propositions qui correspondent
à ces réponses.**

1. Non, pas ce soir, je suis fatigué.
2. D'accord, à 18 heures, comme d'habitude.
3. Volontiers, on se retrouve où ?
4. Merci, mais je n'aime pas Michel.
5. Oui, j'adore Kubrick !
6. Tout à l'heure, après la pause.
7. Ça me plaît beaucoup : ça coûte combien ?
8. Je ne peux pas, samedi je fais les courses.

17. Vouloir, pouvoir, aimer, avoir
**Complétez par les verbes vouloir, pouvoir,
aimer ou avoir au conditionnel.**

1. - Est-ce tu .... garder les enfants ?
   - D'accord.
2. - Tu n' .... pas 2 francs ?
3. - On .... aller au cinéma et dîner après !
   - Ah non, on dîne d'abord et on va au cinéma après.
4. - Qu'est-ce que je .... offrir à Jeanne pour son
     anniversaire ?
   - Un foulard, elle adore les foulards.
5. - Tu .... laisser ta place à la dame !
   - D'accord, d'accord !
6. - Et pour madame ?
   - Je .... un kilo d'oranges et une laitue.

7. - Tu viens ce soir, on va faire la fête chez Catherine.
   - Je .... bien, mais j'ai du travail.
8. - Je .... un aller-retour Paris-Lille.
9. - Je .... prendre un rendez-vous avec le docteur.
   - Oui… pour quel jour ?
10. - Tu .... être riche ?
    - Et en bonne santé aussi .

18. Au, à la, à l'
Choisissez.

1. Tu vas à la .... ? Tu peux acheter trois croissants ?
     pharmacie / boulangerie / charcuterie
2. Il est à la ...., il attend Marie ; elle arrive par le
   train de 20 h 02.
     poste / garage / gare
3. Il a beaucoup de travail, il est au ....
     hôpital / bureau / bar
4. Ce soir, je vais à la ....
     télévision / cinéma / fête chez Chloé
5. Elle est malade, elle est à l' ....
     clinique / épicerie / hôpital
6. Son mari est chirurgien, il travaille à la .... Isis.
     banque / boucherie / clinique

19. Orthographe : à ou a
Choisissez.

1. Il .... vingt ans.
2. Elle habite .... Marseille.
3. Il est allé en vacances .... Biarritz.
4. C'est .... toi ?
5. Il .... téléphoné à sa mère.
6. Qu'est-ce qu'il .... dit ?
7. Elle m'invite .... déjeuner à midi.
8. Il .... une maison à Cannes.
9. Elle .... deux enfants, un garçon et une fille.
10. Est-ce qu'il .... écrit .... son directeur ?

Réagir, interagir

20. L'infinitif

Écoutez et identifiez l'infinitif des verbes entendus.

être ....
avoir ....
s'appeler ....
aller ....
faire ....
travailler ....
connaître ....
vouloir ....
pouvoir ....
comprendre ....

21. Phonétique : [ə] / [e]

Dites quelle phrase vous avez entendue.

1. J'ai lu le livre au programme. ☐
   J'ai lu les livres au programme. ☐

2. J'aime le bleu. ☐
   J'aime le blé. ☐

3. Bonjour, messieurs. ☐
   Bonjour, monsieur. ☐

4. Je mange à midi. ☐
   J'ai mangé à midi. ☐

5. Je voudrais deux kiwis. ☐
   Je voudrais des kiwis. ☐

6. Je te manque ? ☐
   Je t'ai manqué ? ☐

7. Je veux manger à midi. ☐
   Je vais manger à midi. ☐

8. Il n'y a pas le feu. ☐
   Il ne l'a pas fait. ☐

9. Je peux le comprendre. ☐
   Je peux les comprendre. ☐

10. Il est énervé. ☐
    Il est nerveux. ☐

22. Les pronoms personnels

Complétez en utilisant un pronom personnel.

1. .... viens jeudi au concert de Yannick ?
2. Qu'est-ce que .... veux ? Du café ou du thé ?
3. Qu'est ce que .... faites ce samedi ?
4. .... as compris ?
5. .... ont acheté une nouvelle voiture ?
6. .... vont arriver à quelle heure ?
7. Pierre ? .... n'est pas là. Reviens à 8 heures.
8. .... sais où .... a laissé l'argent ?
9. Paul et moi, ... attend Marie.
10. .... s'aiment à la folie.

23. Présent / passé composé

Écoutez et dites si vous entendez le passé composé ou le présent.

	passé composé	présent
1.	☐	☐
2.	☐	☐
3.	☐	☐
4.	☐	☐
5.	☐	☐
6.	☐	☐
7.	☐	☐
8.	☐	☐
9.	☐	☐
10.	☐	☐

24. Le passé composé

Complétez en choisissant.

1. Hier, j'ai .... un bon livre.
   regardé / lu
2. Qu'est ce que vous avez .... samedi ?
   allé / fait
3. Pendant les vacances, on a beaucoup ....
   sorti / voyagé
4. Dimanche, je suis .... à la maison.
   travaillé / dormi / resté
5. À Noël, on est .... en Bretagne.
   allé / voyagé / travaillé

PARCOURS →

3

À la fin de ce parcours, l'apprenant sera capable de parler de lui, d'évoquer des événements passés et à venir. Il pourra comparer ses goûts avec son interlocuteur, argumenter de façon simple, donner des informations sur les autres, décrire quelqu'un physiquement. Il pourra parler du temps qu'il fait et rapporter le contenu d'une lettre.

Parler de soi
et de son vécu

HIER ET AUJOURD'HUI

SÉQUENCE 9

OBJECTIFS

SAVOIR-FAIRE
- se situer dans le temps, évoquer des événements passés

GRAMMAIRE
- le passé composé
- le passé composé négatif
- le participe passé des verbes en *u*, *i*, *is*, *it*
- le participe passé avec *être*

LEXIQUE
- verbes d'action

PHONÉTIQUE
- [f] / [v]

ÉCRIT
- rédiger une carte postale

CULTURES
- une journée en France

● Vous avez un problème ?

Écoutez et faites correspondre les dialogues et les images.

Dialogue témoin

- Voilà, j'ai perdu mon téléphone portable dans un taxi…
- Vous avez son numéro de série ?
- Oui. C'est le 33 00 75 71 67 83.

a ☐

b ☐

c ☐

d ☐

PARLER

• Videz vos sacs !

Regardez ce qu'il y a dans les sacs de Catherine et de Lucio. Dites ce qu'ils ont fait aujourd'hui.

Catherine

Lucio

• Exercice : le passé composé

Mettez les verbes entre parenthèses au passé composé.

1. Hier, j'(rencontrer) .... Jean-Paul à la piscine.

2. Il (trouver) .... du travail.

3. Hier soir, nous (manger) .... au restaurant.

4. Ils (acheter) .... une voiture.

5. Vous (comprendre) .... ?

6. Ce week-end, j'(visiter) .... Lille.

7. Qu'est-ce que tu (faire) .... ce matin ?

8. Cette nuit, nous (dormir) .... à l'hôtel.

9. Vous (finir) .... votre travail ?

10. Où est-ce que vous (apprendre) .... le français ?

• Phonétique : [f] / [v]

Écoutez et dites quelle phrase vous avez entendue.

1.
❏ C'est en fer.
❏ C'est en verre.

2.
❏ Ce n'est pas frais.
❏ Ce n'est pas vrai.

3.
❏ Elles sont neuf.
❏ Elles sont neuves.

4.
❏ Faites un vœu !
❏ Faites un feu !

5.
❏ Je n'ai pas de fils.
❏ Je n'ai pas de vice.

6.
❏ Tu connais Séville ?
❏ Tu connais ces filles ?

Parler de soi et de son vécu

• Passé / présent

**Écoutez et précisez si c'est le passé composé
ou le présent qui est utilisé,
puis écrivez les participes passés entendus.**

	passé composé	présent	participe passé
1.	☐	☐	....
2.	☐	☐	....
3.	☐	☐	....
4.	☐	☐	....
5.	☐	☐	....
6.	☐	☐	....
7.	☐	☐	....
8.	☐	☐	....
9.	☐	☐	....
10.	☐	☐	....
11.	☐	☐	....
12.	☐	☐	....
13.	☐	☐	....
14.	☐	☐	....

Dialogue témoin

- Qu'est-ce que tu as
  fait, hier soir ?
- J'ai essayé de réparer
  la télé...

• Exercice :
les indicateurs de temps

**Écoutez les enregistrements
et dites si l'événement est passé ou s'il va se réaliser plus tard.
Notez dans quelles phrases vous avez entendu ces expressions.**

expressions	passé	futur	enr.
demain	☐	☐	....
il y a dix minutes	☐	☐	....
aujourd'hui	☐	☐	....
dans	☐	☐	....
cet après-midi	☐	☐	....
jeudi prochain	☐	☐	....
ce soir	☐	☐	....
après-demain	☐	☐	....
hier	☐	☐	....
la semaine dernière	☐	☐	....
ce matin	☐	☐	....

• Exercice :
participe passé en u

**Écoutez et écrivez le participe passé
des verbes dans le tableau.**

infinitif	participe passé
recevoir	....
voir	....
pouvoir	....
vouloir	....
avoir	....
boire	....
lire	....
attendre	....
répondre	....
connaître	....

• C'est fait ?

Écoutez les dialogues et dites ce qu'ils ont fait ou n'ont pas fait.

À faire cette semaine

	fait	pas fait
Réserver des billets de train.	☐	☐
Passer au pressing.	☐	☐
Payer la facture du téléphone.	☐	☐
Prendre un rendez-vous chez le médecin.	☐	☐
Écrire à Marie.	☐	☐
Rappeler François.	☐	☐
Réserver des places pour le théâtre.	☐	☐
Passer à la poste.	☐	☐

Dialogue témoin

- Tu as réservé des places pour le théâtre ?
- Oui, deux places pour vendredi, ça va ?

Grammaire : le passé composé négatif

ne + **verbe** avoir + **pas** + participe passé	**ne** + **verbe** être + **pas** + participe passé
	(aller, partir, rester, sortir, rentrer, monter, descendre…)
je n'ai pas compris	*Je ne suis pas allé(e) au restaurant.*
tu n'as pas compris	*Tu n'es pas allé(e) au cinéma.*
il / elle / on n'a pas compris	*Il / elle / on n'est pas allé(e) au théâtre.*
nous n'avons pas compris	*Nous ne sommes pas allé(e)s à l'école.*
vous n'avez pas compris	*Vous n'êtes pas allé(e)(s) chez le docteur.*
ils / elles n'ont pas compris	*Ils / elles ne sont pas allé(e)s au concert.*

Remarque : à l'oral, le **ne** de la négation disparaît souvent (*j'ai pas compris, je suis pas resté*).

• Exercice : participe passé en i, is, it

Écrivez le participe passé des verbes dans le tableau.

	infinitif	participe passé
1. Je n'ai rien compris.	finir	....
2. Je n'ai pas dit ça !	grossir	....
3. Il a appris le français au Canada.	servir	....
4. Attends ! Je n'ai pas fini.	dormir	....
5. J'ai pris un taxi.	rire	....
6. C'était très drôle. J'ai beaucoup ri !	comprendre	....
7. Je n'ai pas beaucoup dormi.	apprendre	....
8. Qui a écrit ce texte ?	prendre	....
9. Il a un peu grossi.	dire	....
10. Je vous ai servi du thé.	écrire	....

Parler de soi et de son vécu

• Participe passé avec être

Écoutez les dialogues et faites la liste des 14 verbes qui se conjuguent avec être au passé composé.

Dialogue témoin

Vous êtes sûr qu'il est mort ?

1

3

2

4

5

6

7

● **Exercice :** **être** ou **avoir** avec le passé composé

Complétez les phrases en utilisant être ou avoir.

1. Samedi, on .... allé à la campagne. On .... fait une grande promenade à vélo.

2. Hier, je .... sorti avec Mathilde. On .... dansé toute la nuit.

3. Ce matin, je .... passé à la poste puis j' .... pris le métro pour aller à mon travail.

4. Jeudi soir, j' .... vu un bon film à la télévision.

5. Elle .... venue, on .... parlé, elle .... partie, et moi, je .... resté seul.

6. Elle .... eu 20 ans en décembre.

7. Capucine n'est pas contente. Je .... arrivée en retard à notre rendez-vous.

8. Hier, je .... tombé de vélo.

Parler de soi et de son vécu

• Visite au Futuroscope

Marie a passé deux jours au Futuroscope de Poitiers. À son retour à Paris, elle envoie une carte à une amie pour lui raconter ce qu'elle a fait. Rédigez cette carte.

Programme au départ de Paris

Départ à 7 h 25 de la gare de Lyon.

Arrivée à 8 h 47 à la gare du Futuroscope.

BIENVENUE AU PARC DU FUTUROSCOPE

Évasion et sensations fortes vous attendent pour votre plus grand plaisir !

• Découvrez notre nouvelle attraction, *Le Défi d'Atlantis*, une exclusivité européenne. Toutes les dernières technologies en une seule attraction !

• Frémissez devant *T-Rex*, un film qui vous emmène plus de 65 millions d'années en arrière !

• Pleurez de rire avec *Aliens en Délire* !

• Percez *Les Mystères du Temple Perdu* !

• Évadez-vous dans les méandres du *Grand Canyon* !

• Laissez-vous emporter par la féerie de notre nouveau spectacle nocturne, *Le Lac aux Images* !

EXCLUSIVITÉ EUROPÉENNE !

NOUVELLE ATTRACTION

⑲ Imax 3D Dynamique
Le Défi d'Atlantis
Durée : 5 mn.
Le Défi d'Atlantis est un film dynamique dédié au mythe de l'Atlantide projeté en relief sur un écran hémisphérique et entièrement réalisé en images de synthèse.

• Une journée bien remplie

Lisez le document suivant. Dites ce que vous avez fait hier et comparez votre journée à celle d'un Français.

Rythme d'une journée de travail

6 h-8 h :	la France se réveille, fait sa toilette et déjeune.
8 h-8 h 30 :	les enfants sont à l'école et les parents sont ou vont au travail.
11 h 30-12 h :	les enfants sortent de l'école.
12 h :	la France mange.
13 h-13 h 30 :	les enfants retournent à l'école et les parents, au travail.
16 h 30-17 h :	l'école est finie pour aujourd'hui.
17 h 30-19 h :	les parents quittent leur travail.
20 h :	c'est l'heure du journal télévisé et du repas du soir.
21 h 30-22 h :	les Français commencent à aller se coucher.
0 h :	la France dort.

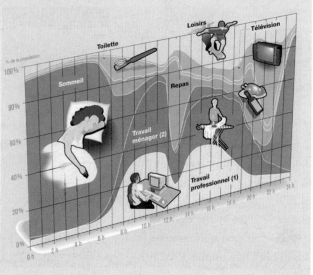

Cela ne se passe pas comme ça pour tous, mais ce rythme quotidien est celui de très nombreux Français.

HISTOIRES

OBJECTIFS

SAVOIR-FAIRE
• raconter un événement
GRAMMAIRE
• l'imparfait
  et le passé composé
• c'était, il y avait, il faisait
LEXIQUE
• le temps qu'il fait
PHONÉTIQUE
• phonie / graphie du son [ɛ]
ÉCRIT
• rédiger un texte
  appréciatif
CULTURES
• les événements
  qui ont marqué la France
  de 1950 à 2000

DÉCOUVRIR

• Alors, raconte !

Écoutez et choisissez l'image qui correspond à ce que vous avez entendu.

Dialogue témoin

- Alors, ce stage de plongée,
  c'était bien ?
- Génial ! La mer était chaude
  et il y avait des garçons
  très sympas.

a

b

c

• C'était comment ?

Écoutez et identifiez les imparfaits entendus.

Dialogue témoin

- Tu as aimé ce film ?
- Oh oui ! je l'ai trouvé super !
  C'est normal, il y avait
  mon acteur préféré !

dialogue	c'était	il y avait	il faisait	j'étais, tu étais, etc.	j'avais, tu avais, etc.
1.	☐	☐	☐	☐	☐
2.	☐	☐	☐	☐	☐
3.	☐	☐	☐	☐	☐
4.	☐	☐	☐	☐	☐
5.	☐	☐	☐	☐	☐
6.	☐	☐	☐	☐	☐
7.	☐	☐	☐	☐	☐

L'imparfait			
chanter	**être**	**avoir**	**faire**
je chantais	j'étais	j'avais	je faisais
tu chantais	tu étais	tu avais	tu faisais
il / elle / on chantait	il / elle / on était	il / elle / on avait	il / elle / on faisait
nous chantions	nous étions	nous avions	nous faisions
vous chantiez	vous étiez	vous aviez	vous faisiez
ils / elles chantaient	ils / elles étaient	ils / elles avaient	ils / elles faisaient

• Exercice : imparfait / passé composé

Écoutez et dites si c'est l'imparfait ou le passé composé qui a été utilisé.

	imparfait	passé composé
1.	☐	☐
2.	☐	☐
3.	☐	☐
4.	☐	☐
5.	☐	☐
6.	☐	☐
7.	☐	☐
8.	☐	☐
9.	☐	☐
10.	☐	☐

Grammaire : emploi de l'imparfait et du passé composé

Pour raconter un événement, vous pouvez donner des informations

sur la situation	**sur l'action**
J'étais à l'hôtel du Lac.	*J'ai oublié mes chaussures.*
J'avais la chambre 16.	*Il a cherché dans toute la chambre.*
J'avais un rendez-vous.	*J'ai manqué ce rendez-vous.*

● Toujours une bonne excuse !

**Écoutez les dialogues et formulez une excuse en vous servant
de celles évoquées par les images.
Vous pouvez aussi inventer d'autres excuses.**

Dialogue témoin

- Alors, encore en retard,
  monsieur Legrand ! Il est
  10 heures. Je vous signale que vous commencez
  votre travail à 9 heures !

- …

● Exercice : c'était, il y avait, il faisait...

Complétez en utilisant c'était, il y avait, il faisait ou les verbes être ou avoir à l'imparfait.

1. .... combien de personnes à la réunion ?
2. .... intéressant, sa conférence ?
3. J'ai passé trois jours à Grenoble, ... très froid.
4. Je suis en retard, ... du brouillard.
5. .... très sympa, la soirée chez Jean-Pierre.
6. Quand je suis arrivé, il .... trop tard.
7. .... chaud, mais .... des nuages.
8. J'ai dormi chez des amis, ... complet à l'hôtel.
9. ? .... froid. Je leur ai fait du café.
10. Je suis passé chez Pierre, mais il n' .... pas là.

Parler de soi et de son vécu

• Des vacances formidables !

Écoutez l'enregistrement et imaginez la conversation entre Jean-Louis et le propriétaire de la maison à son retour de vacances.

Dialogue témoin

- Salut, Jean-Louis ! Alors, ça se passe bien, tes vacances ?
- Non, c'est la catastrophe…

A louer en juillet et août maison région de Sète, vue sur la mer, cuisine équipée, salon, salle de bains, climatisation, téléphone, 2 chambres équipées de deux grands lits, grand jardin, très calme. **900 euros / semaine**

Grammaire : formation de l'imparfait

Terminaisons : **-ais, -ais, -ait, -ions, -iez, -aient**

Pour former l'imparfait, il faut connaître la forme utilisée avec **nous** au présent :

*nous **pouv**ons*	➜ *je **pouv**ais*
*nous **fais**ons*	➜ *je **fais**ais*
*nous **compren**ons*	➜ *je **compren**ais*
*nous **dis**ons*	➜ *je **dis**ais*

En dehors du verbe **être** (*nous sommes* ➜ *j'étais*), cette règle fonctionne avec la totalité des verbes français.

• Un excellent hôtel   LIRE ÉCRIRE

En vous servant de la fiche remplie par Véronique à l'issue de son séjour à l'hôtel Milton,
continuez la petite lettre qu'elle envoie à sa grand-mère.

Avant de quitter l'hôtel Milton,
prenez quelques minutes pour remplir
ce petit questionnaire
et donnez-nous votre opinion sur…

l'accueil	très amical
les chambres	confortables
le service	impeccable
les repas servis au restaurant	excellents
le petit déjeuner	copieux
le personnel	sympathique
les tarifs	corrects

Chère grand-mère,

J'ai passé une semaine merveilleuse.
Je te recommande l'hôtel Milton,
tout était parfait, l'accueil……
………………………
………………

Ta petite - fille Véronique

• Phonétique : phonie / graphie du son [ɛ] en finale

Écoutez et classez les mots qui se terminent par le son [ɛ] dans le tableau.

1. Je vis en paix.	et ....
2. Ce n'est pas vrai.	êt ....
3. Il fait très beau.	est ....
4. Tu as de la monnaie ?	ès ....
5. Tu veux du lait ?	ais ....
6. Tu connais la forêt de Fontainebleau ?	ait ....
7. C'est complet.	aît ....
8. J'habite près d'ici.	ai ....
9. Je voudrais un ticket de métro.	aie ....
10. En mai, fais ce qu'il te plaît.	aix ....

Parler de soi et de son vécu

• Quelques faits et dates qui ont marqué la France de 1950 à 2000

Écoutez et dites quelle époque est évoquée par chaque enregistrement.

Charles de Gaulle

Les années cinquante

1958 : naissance de la cinquième République.
Le général de Gaulle est élu président.

Les années soixante

Le rock and roll arrive en France,
les grandes vedettes françaises sont
Johnny Hallyday et Sylvie Vartan.
Mai 1968 : révolte étudiante.
Mort du Général de Gaulle, élection de
Georges Pompidou.

Mai 1968

Les années soixante-dix

Valéry Giscard d'Estaing est élu
Président à la mort de Georges Pompidou.
Majorité à 18 ans.

Droit de vote à 18 ans

Les années quatre-vingt

1981 : élection de François Mitterrand
qui restera 14 ans président de la
République.
Le TGV, la pyramide du Louvre, le
bicentenaire de la Révolution française.
Création de nouvelles chaînes de télévision, début de la réception par satellite,
essor de l'informatique (PC et
Macintosh).

François Mitterrand

Jacques Chirac

Les années quatre-vingt-dix

1995 : Jacques Chirac, président de la République.
L'Europe sans frontières : Traité de Maastricht, mise en place de
l'euro qui remplace les monnaies nationales.
Internet, la nouvelle économie, le téléphone portable, le passage au
troisième millénaire.

Internet

REPRISE

OBJECTIFS

SAVOIR-FAIRE
- décrire, identifier quelqu'un
- comparer ses goûts avec quelqu'un
- argumenter
- rapporter le contenu d'une lettre

GRAMMAIRE
- le pronom relatif *qui*
- la négation : *ne … jamais, ne … plus, ne … rien, ne … personne*
- le discours indirect

LEXIQUE
- description physique, vestimentaire

ÉCRIT
- rédiger un message

CULTURES
- la France métisse

• 20 ans après

Écoutez et identifiez les personnes dont on parle sur les deux images.

Dialogue témoin

- Tu te souviens de madame Simon, notre prof de maths ?
- Oui, mais ce n'est pas un bon souvenir. J'étais nulle en maths. Elle est là ?
- C'est la vieille dame à lunettes qui prend une photo.

Les mots pour le dire

Pour identifier quelqu'un, vous pouvez :

parler de sa taille, de son aspect physique, de son âge

Il / elle est petit(e) / grand(e), gros(se) / mince, jeune / vieux (vieille).

parler de ses caractéristiques

Il / elle a les yeux bleus / noirs, les cheveux longs / courts, bruns / blonds.

parler de ce qu'il porte

Il porte des lunettes, une cravate, une barbe, un chapeau…
Elle porte une minijupe, des boucles d'oreilles…

PARLER

• À la gare

Vous demandez à un(e) ami(e) d'aller attendre des personnes à la gare.

Décrivez ces personnes à l'aide des images.

Grammaire : le pronom relatif qui

Pour décrire quelqu'un ou pour dire ce qu'il fait

Ce garçon qui a les cheveux courts.

Le beau blond qui est tout bronzé.

L'homme qui lit un journal.

La fille blonde qui est près de la fenêtre.

• Exercice : le pronom relatif qui

Reformulez les phrases avec le pronom relatif qui.

Exemple : Anne est petite, brune, elle est à côté de Nordine. → Anne, c'est la petite brune qui est à côté de Nordine.

1. Jérôme est grand, blond, il porte un chapeau. → ....

2. Vincent est petit, avec une moustache, il porte une cravate. → ....

3. Mercedes, elle est jolie, brune, elle adore danser la rumba. → ....

4. Tigida est grande, mince, elle parle avec Victor. → ....

5. Félix est blond, avec des cheveux frisés, il joue avec sa cousine Caroline. → ....

• Totalement négatif

Écoutez et identifiez les formes négatives entendues.

Dialogue témoin

- Il est vraiment bizarre, ce garçon. Il ne sourit jamais, il n'aime pas les plaisanteries, il n'a pas d'amis, il ne prend jamais de jour de congé, il n'invite jamais les collègues à boire un café…

formes négatives	enr.
ne … pas	………
ne … pas de / d'	………
ne … pas + le, la, les	………
ne … jamais	………
ne … jamais de	………
ne … jamais + le, la, les	………
ne … personne	………
ne … plus	………
ne … plus + le, la, les	………
ne … plus de	………
ne … rien	………

Grammaire : la négation

La négation est composée de deux mots : **ne … pas.**
*Il **ne** comprend **pas**. / Je **ne** sais **pas**.*

Pas peut être remplacé par **rien**, **personne**, **plus**, **jamais**…
*Tu veux **quelque chose** ? ➜ Tu **ne** veux **rien** ?*
*Je connais **quelqu'un** à Londres ➜ Je **ne** connais **personne** à Londres.*
*Elle habite **toujours** ici ➜ Elle **n'**habite **plus** ici.*
*Je **ne** prends **jamais** le métro.*
*Je **ne** mange **jamais** de poisson.*

Quand on passe d'une phrase positive
à une phrase négative avec **un / une / du / de la / des**,
pas devient **pas de** (ou **pas d'**).
*Elle a **des** enfants ➜ Elle n'a **pas d'**enfants.*
*Elle a **une** voiture ➜ Elle n'a **pas de** voiture.*
Le / la / les ne sont pas modifiés.
Cette règle s'applique notamment au verbe **aimer**
et à certaines expressions composées avec **avoir** :
J'aime le football ➜ Je n'aime pas le football.
J'ai le temps ➜ Je n'ai pas le temps.
Je connais le Portugal ➜ Je ne connais pas le Portugal.

• Exercice : la négation

Choisissez la forme négative qui convient.

1. Aujourd'hui, il n'y a ……… à la télé.   pas de film   pas le film
2. Je ne prends jamais ………, ça m'énerve.   le café   de café
3. Désolé, mais je n'ai pas ……… .   le temps   de temps
4. Je ne travaille ……… chez Dupond et Dupont.   rien   plus
5. Je ne connais ……… à Paris.   personne   quelqu'un
6. Non merci, je ne prends ……… . Je n'ai pas soif.   pas   rien
7. Elle est mariée, mais elle n'a pas ……… .   l'enfant   d'enfant
8. Il n'y a ……… café, je vais en refaire.   pas de   plus de

Parler de soi et de son vécu

● Points communs

Écoutez la conversation entre Xavier et Marlène et complétez le questionnaire.

Complétez le questionnaire en fonction de vos goûts personnels

et essayez de trouver, dans la classe, quelqu'un qui vous ressemble.

	Xavier	Marlène	Vous
Êtes vous sportif / sportive ?	☐ oui ☐ non	☐ oui ☐ non	☐ oui ☐ non
Votre sport préféré :	....	....	....
Votre plat préféré :	....	....	....
Vous ne mangez jamais de…	....	....	....
Vos goûts musicaux :	....	....	....
Vous parlez quelles langues ?	....	....	....
Vous habitez :	☐ dans une petite ville ☐ dans une ville moyenne ☐ dans une grande ville	☐ dans une petite ville ☐ dans une ville moyenne ☐ dans une grande ville	☐ dans une petite ville ☐ dans une ville moyenne ☐ dans une grande ville
Votre couleur préférée :	....	....	
Vos loisirs préférés :	☐ le cinéma ☐ la lecture ☐ la danse ☐ le théâtre	☐ le cinéma ☐ la lecture ☐ la danse ☐ le théâtre	☐ le cinéma ☐ la lecture ☐ la danse ☐ le théâtre
Aimez-vous voyager ?	☐ oui ☐ non	☐ oui ☐ non	☐ oui ☐ non

Les mots pour le dire : questions / réponses

oui / si / non

questions positives	réponses	questions négatives	réponses
+ - *Tu aimes ça ?*	+ - *Oui.*	– - *Tu n'aimes pas ça ?*	+ - *Si.*
+ - *Vous parlez anglais ?*	– - *Non.*	– - *Tu ne comprends pas ?*	– - *Non.*

moi aussi / moi non plus / moi si / moi non

informations positives		informations négatives	
+ - *J'aime bien voyager.*	+ - *Moi aussi.*	– - *Je n'aime pas le froid.*	+ - *Moi si.*
+ - *J'adore le fromage.*	– - *Moi non.*	– - *Je n'aime pas la pluie.*	– - *Moi non plus.*

je	➜ moi aussi / moi non plus	nous	➜ nous aussi / nous non plus
tu	➜ toi aussi / toi non plus	vous	➜ vous aussi / vous non plus
il	➜ lui aussi / lui non plus	ils	➜ eux aussi / eux non plus
elle	➜ elle aussi / elle non plus	elles	➜ elles aussi / elles non plus

● Bravo !

Rédigez un petit mot de félicitations.

Les mots pour le dire : féliciter

Félicitations		exposition.
Je vous (te) félicite	pour votre	victoire aux élections.
Bravo		spectacle.
Mes compliments		livre.

	magnifique.
C'était	très intéressant.
	passionnant.

J'ai beaucoup aimé votre livre / film / programme, etc.

Amicalement   Respectueusement

Un(e) de vos admirateurs / admiratrices / lecteur / lectrice / supporters.

ANTICIPATION

LIRE PARLER

• Le bon candidat

Voici une offre d'emploi et trois C.V. (curriculum vitæ). Quel est le C.V. qui répond à l'offre ?

Pourquoi les deux autres ne conviennent-ils pas ?

OFFRE D'EMPLOI

Téléperformance et télémarketing

Nous recherchons 110 télé-enquêteurs.
Vous réalisez des études marketing pour des entreprises internationales.
A Bac+2, vous avez 6 mois d'expérience.
Vous parlez anglais et japonais.
Vous êtes dynamique, vous avez le sens du contact au téléphone.
Appelez au 0 825 56 57 58

Abdoul Deschamps

Célibataire
Bac+2
Standardiste chez Rapid'Nem
de juillet à novembre 2000
Langues parlées :
anglais et espagnol

Manuel Perez

Marié
Bac+2
Relations publiques de mars
à juillet à l'AMF
Langues parlées :
espagnol et japonais

Sophie Benlhacen

Célibataire
Bac+1
Hôtesse d'accueil à Téléfix
de janvier à juin 2001
Langues parlées :
anglais, espagnol et japonais

• Vous pouvez laisser un message ?

COMPRENDRE ÉCRIRE

Écoutez l'enregistrement et laissez le message demandé.

Dialogue témoin

- Bonjour, mademoiselle,
  je voudrais parler au docteur Bazin.
- Il n'est pas là, mais vous pouvez
  laisser un message…

Docteur,
Madame Petit a appelé
ce matin. Elle voudrait un
rendez-vous pour
le mercredi 10 à 14 heures.
Pouvez-vous l'appeler chez
elle pour confirmer ?

• La lettre de Géraldine

Écoutez le dialogue et reconstituez la lettre de Géraldine.

(1) Ah! J'ai vu l'oncle Nestor. Il est en pleine forme malgré ses 75 ans.

(2) Bon. Je vous laisse.

Ça me plaît vraiment de vivre dans le sud, c'est vraiment différent de Paris.

(3) Est-ce que vous avez vu Bernard ces temps-ci ?

(4) Est-ce que vous pourriez m'envoyer sa nouvelle adresse ?

(5) Géraldine

(6) Grosses bises à tous !

(7) J'ai commencé mon travail la semaine dernière. C'est très intéressant.

(8) J'habite une petite maison dans la banlieue de Montpellier. C'est super ! J'ai un grand jardin.

(9) Je sais qu'il a déménagé mais depuis je n'ai plus de nouvelles. J'ai perdu mon carnet d'adresses dans le déménagement.

(10) Pour moi tout va bien.

(11) Quand allez-vous me rendre visite ? Vous me manquez beaucoup.

(12) Chers Parents,

(13)

Dialogue témoin

- Tiens, il y a une lettre
  de Géraldine.
- Qu'est-ce qu'elle dit ?...

Grammaire : discours direct /indirect

dire que

discours direct	discours indirect
- Je **dois** partir dans 5 minutes.	- **Il dit qu'**il doit partir dans 5 minutes.
- J'**ai raté** le train de 10 heures.	- **Il dit qu'**il a raté le train de 10 heures.

On utilise **dire que** au présent pour rapporter une conversation qui a lieu ou qui vient d'avoir lieu, pour transmettre ce que contient une lettre qu'on est en train de lire ou qu'on vient de lire.

Autres formulations :

- Qu'est-ce qu'il dit ?
- Qu'est-ce qu'elle dit ?

- Que tout va bien.
- Qu'elle va bien.

demander si

- Il **a fini** son travail ?
- Il **a fait** bon voyage ?

Il **demande si** tu as fini ton travail.
Il **demande si** tu as fait bon voyage.

Parler de soi et de son vécu

● **Quiz**

On les danse en France, mais ça vient d'où ?

la samba   • d'Algérie
le zouk   • du Brésil
le sirtaki   • de Colombie
le raï   • d'Autriche
le tango   • de Pologne
le makossa   • de l'Afrique
la valse   • de Grèce
la cumbia   • des Antilles
la polka   • d'Argentine

Le sirtaki

Le tango

Ils ont apporté leur art à la France, mais ils sont d'origine :

le peintre Pablo Picasso   • suisse
le prix Nobel de physique Marie Curie   • italienne
le comique Coluche   • russe
l'architecte Le Corbusier   • polonaise
le peintre Marc Chagall   • espagnole

Marc Chagall

Le Corbusier

Ces mots sont français, mais ils viennent :

zéro   • de l'allemand
café   • du grec
appartement   • du français
élève   • de l'anglais
téléphone   • de l'italien
camping   • de l'arabe
architecte
taxi
école
champion

AUJOURD'HUI ET DEMAIN

● Faites de la musique

Associez images et enregistrements. Précisez la date de chaque activité.

Dialogue témoin

- On est quel jour, aujourd'hui ?
- Le mercredi 20 juin, et demain, c'est la fête de la Musique !

a ☐   date ....

b ☐   date ....

c ☐   date ....

d ☐   date ....

e ☐   date ....

f ☐   date ....

• Quand est-ce qu'on se voit ?

**Écoutez, cochez les expressions de temps que vous avez entendues
et classez-les de la plus proche à la plus lointaine.
Y a-t-il des expressions qu'on ne peut pas classer ?**

Dialogue témoin
- On peut se voir
  tout de suite ?
- Oui, dans dix minutes
  à la cafétéria.

classement

demain	☐	....
tout de suite	☐	....
lundi	☐	....
à Pâques	☐	....
dans quinze jours	☐	....
la semaine prochaine	☐	....
tout à l'heure	☐	....
dans un an	☐	....
bientôt	☐	....
aujourd'hui	☐	....
dans un quart d'heure	☐	....
l'année prochaine	☐	....

Grammaire : l'expression du futur

Avec le présent

C'est la manière la plus fréquente de s'exprimer dans le futur.

- *Qu'est-ce que tu fais, ce week-end ?*

- *Rien, je me repose.*

Pour préciser quel moment du futur vous évoquez, vous utilise-rez un indicateur de temps : *demain, la semaine prochaine, dans un mois, dimanche, cet après-midi, en juillet, pendant les vacances,* etc.

Avec aller + infinitif

Cette année, je vais passer mes vacances à Barcelone.

Il va bientôt rentrer.

La construction aller + infinitif est souvent appelée **futur proche**. Le degré de proximité dans le temps dépend de l'indi-cateur de temps : *bientôt, dans une semaine, demain,* etc.

S'il n'y a pas d'indicateur de temps, l'action est très proche :

Bon, je vais y aller !

Dépêche-toi ! La réunion va commencer.

Le futur simple

On l'utilise naturellement dans certaines circonstances.

Pour exprimer une décision :

Demain, je serai à l'heure.

Je prendrai l'avion, c'est plus rapide.

Pour exprimer une prévision :

Ça ira mieux demain.

En janvier 2002, l'euro remplacera le franc.

Il fera beau demain.

Pour parler d'un programme :

Nous prendrons le train à 8 h 43, nous arriverons à 10 h 20 puis nous visiterons…

Dans des phrases avec quand :

Vous me préviendrez quand il arrivera.

Je ne sais pas quand je rentrerai.

• Avenir

Écoutez et dites à quel type de document correspond chaque enregistrement.

a ☐

b ☐

Circuit patrimoine *La route des ducs de Savoie*

Programme

Matin
- Visite du château de Thorens-Glières
- Déjeuner à Thorens

Après-midi
- Visite du château de Montrottier et des collections Léon Marès commentées par un guide des Pays de Savoie
- Visite des gorges du Fier

c ☐

Paris <> Lyon <> Saint-Étienne

numéro du TGV		601	641	603	681	643	605	645	647	607	609	611
correspondances autocars		🚌				🚌						
restauration		🍴	🍴🍽	🍴🍽	🍴🍽	🍴🍽	🍴	🍴	🍴	🍴	🍴🍽	🍴🍽
PARIS-GARE-DE-LYON	Départ	6.10	6.30	7.00	7.00	7.30	8.00	8.30	9.00	10.00	11.00	12.00
Le Creusot-TGV	Arrivée	7.32				8.52						
Mâcon-TGV	Arrivée											
LYON-PART-DIEU	**Arrivée**	**8.20**	8.34	9.04	9.04	9.40	10.04	10.34	11.04	12.04	13.04	14.04
Lyon-Perrache	Arrivée	8.31	8.45	9.19		9.51	10.15	10.45	11.15	12.15	13.15	14.15
St-Étienne	Arrivée	b 9.30	a 10.05	a 10.05	9.50		b 11.54	b 12.43	a 13.04	a 14.04		a 15.05

CIRCULATIONS ET TARIFS												
	Lundi											
	Mardi à Jeudi											
	Vendredi											
	Samedi	–	–	–		–	–	–		–		
	Dimanche											

d ☐

Verseau
20 janvier au 19 février

20–30/1 : avec Jupiter, Neptune et Vénus pour alliés, vous voyez la vie en rose ! Et tant pis si l'amour vous aveugle (11), tant que la chance est là (9, 15)... **30/1–9/2 :** le 12, lancez-vous dans une décision d'importance, cela doit vous réussir. Les 9 et 15, l'audace sera payante ; alors n'hésitez pas, les amis vous aideront. **9–19/2 :** né avant le 16, excellents augures : tonus, efficacité, amis influents, projets stimulés (15)...

• Exercice : expression du futur

Écoutez et dites quelle forme d'expression du futur est utilisée.

dialogue	présent	aller + infinitif	futur simple
1.	☐	☐	☐
2.	☐	☐	☐
3.	☐	☐	☐
4.	☐	☐	☐
5.	☐	☐	☐
6.	☐	☐	☐
7.	☐	☐	☐
8.	☐	☐	☐
9.	☐	☐	☐
10.	☐	☐	☐

• Un agenda bien rempli   COMPRENDRE ÉCRIRE

Écoutez et remplissez l'agenda de Pierre Laurent.

Lundi 5	Mardi 6	Mercredi 7	Jeudi 8
(02) FÉVRIER	(02) FÉVRIER	(02) FÉVRIER	(02) FÉVRIER
Dominante*	Dominante*	Dominante*	Dominante*
Sᵉ Agathe 36-329	S. Gaston 37-328	Sᵉ Eugénie 38-327	Sᵉ Jacqueline 39-326

8 ... 8 ... 8 ... 8 ...
9 ... 9 ... 9 ... 9 ...
10 ... 10 ... 10 ... 10 ...
11 ... 11 ... 11 ... 11 ...
12 ... 12 ... 12 ... 12 ...
13 ... 13 ... 13 ... 13 ...
14 ... 14 ... 14 ... 14 ...
15 ... 15 ... 15 ... 15 ...
16 ... 16 ... 16 ... 16 ...
17 ... 17 ... 17 ... 17 ...
18 ... 18 ... 18 ... 18 ...
19 ... 19 ... 19 ... 19 ...
20 ... 20 ... 20 ... 20 ...
21 ... 21 ... 21 ... 21 ...

Dimanche 11	Dominante*	8	11
(02) FÉVRIER		9	12
	Notre-Dame de Lourdes 42-323	10	13

Randonnes - Quo Vadis

Dialogue témoin

- Monsieur Laurent ? Monsieur Leroy a téléphoné. Il voudrait vous parler.
- Je lui téléphonerai demain en fin de matinée.

Grammaire : la formation du futur simple

verbes en -ir

finir → je finirai, tu finiras, etc.
partir → je partirai, tu partiras, etc.

verbes qui se terminent par
-re, -dre, -vre, -ttre

dire → je dirai, tu diras, etc.
prendre → je prendrai, tu prendras, etc.
vivre → je vivrai, tu vivras, etc.
mettre → je mettrai, tu mettras, etc.

Futur irrégulier pour une trentaine de verbes
dont les plus courants sont :

avoir → j'aurai, tu auras, il aura, etc.
être → je serai, tu seras, il sera, etc.
venir → je viendrai, tu viendras, etc.
tenir → je tiendrai, tu tiendras, etc.
faire → je ferai, tu feras, etc.
aller → j'irai, tu iras, etc.
savoir → je saurai, tu sauras, etc.
voir → je verrai, tu verras, etc.
vouloir → je voudrai, tu voudras, etc.
pouvoir → je pourrai, tu pourras, etc.
apercevoir → j'apercevrai, tu apercevras, etc.

Le futur simple				
terminaisons des verbes en -er	**arriver**	**finir**	**faire**	**aller**
je → -erai	j'arriverai	je finirai	je ferai	j'irai
tu → -eras	tu arriveras	tu finiras	tu feras	tu iras
il / elle / on → -era	il / elle / on arrivera	il / elle / on finira	il / elle / on fera	il / elle / on ira
nous → -erons	nous arriverons	nous finirons	nous ferons	nous irons
vous → -erez	vous arriverez	vous finirez	vous ferez	vous irez
ils / elles → -eront	ils / elles arriveront	ils / elles finiront	ils / elles feront	ils / elles iront

manger → je mange → je mangerai, tu mangeras, etc.
parler → je parle → je parlerai, tu parleras, etc.

• Parler de la pluie et du beau temps

Écoutez et associez chaque bulletin météo à une image.

Dialogue témoin

Climat chaud et humide sur toute la Guadeloupe où les températures seront comprises entre 28 et 35°C.

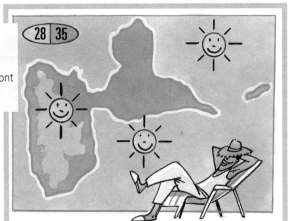

a ☐

b ☐

c ☐

d ☐

• Demain, je fais un régime

Choisissez deux bonnes résolutions.

Choisissez aussi les moments où vous commencez à réaliser vos bonnes résolutions.

Écrivez-les, puis présentez-les à la classe.

• Faire un régime.	• aujourd'hui
• Arrêter de fumer.	• dans une heure
• Apprendre le tamoul.	• ce soir
• Apprendre à conduire.	• demain matin
• Apprendre à jouer de la guitare.	• demain
• Faire du sport.	• après-demain
• Manger des légumes.	• dans trois jours
• Sortir la poubelle.	• la semaine prochaine
• Apprendre à sauter à l'élastique.	• dans un mois
• Trouver du travail.	• cette année
• Changer de travail.	• l'année prochaine
• Acheter des fleurs à ma mère.	• dans 10 ans

• Exercice

Reconstituez les phrases en utilisant les éléments des deux colonnes.

1. Vous me prévenez	**a.** quand vous finirez les travaux.
2. Tu m'enverras un mél	**b.** quand vous arrivez.
3. Je préparerai le café	**c.** quand il fera beau.
4. On ira à la campagne	**d.** quand vous pourrez.
5. Vous viendrez me voir	**e.** quand tu auras ton nouvel ordinateur.
6. Vous me rendrez les clés	**f.** quand tu te réveilleras.

• Exercice : situer de façon précise

Écoutez et dites si ce dont on parle est situé dans le temps de façon précise ou imprécise.

	précis	imprécis
1.	☐	☐
2.	☐	☐
3.	☐	☐
4.	☐	☐
5.	☐	☐
6.	☐	☐
7.	☐	☐
8.	☐	☐

• Phonétique : [k] / [g]

Écoutez et dites si vous avez entendu le son [k] ou le son [g].

	[k]	[g]
1.	☐	☐
2.	☐	☐
3.	☐	☐
4.	☐	☐
5.	☐	☐
6.	☐	☐
7.	☐	☐
8.	☐	☐
9.	☐	☐
10.	☐	☐

• Proverbes et dictons :
quand les poules auront des dents...

Regardez les images et si votre langue n'est pas représentée, dites quel est l'équivalent dans votre langue de ce dicton qui signifie qu'une chose est improbable, qu'elle ne se produira jamais :

- Tu crois qu'on va avoir une augmentation de salaire ?
- Quand les poules auront des dents !

Quand les poules auront des dents
When hens have teeth

Cuando las ratas crien pelos
Quand les grenouilles auront des poils

Quando gli asini voleranno
Quand les ânes voleront

Wanneer de kalveren op het ijs dansen
Quand les veaux danseront sur la glace

Pigs might fly
Les cochons pourraient voler

Trouvez l'équivalent, dans votre langue, des dictons suivants.

- **Passer du coq à l'âne :** passer brusquement d'un sujet de conversation à un autre sujet totalement différent.
- **Être au bout du tunnel (voir le bout du tunnel) :** arriver à la fin d'un travail difficile, d'ennuis, de problèmes.
- **Il ne faut pas vendre la peau de l'ours avant de l'avoir tué :** il ne faut pas crier victoire trop tôt.

• Compréhension orale

Écoutez l'enregistrement. Vous l'entendrez deux fois. Choisissez ensuite la bonne réponse.

1. Il lui propose ....

☐ de partir au Mexique ☐ d'aller au concert ☐ de faire de la musique

2. Le mari de Suzy est ....

☐ docteur ☐ malade ☐ au bureau

3.

	vrai	faux	on ne peut pas dire
On a trouvé un sac.	☐	☐	☐
La secrétaire du directeur a perdu un sac.	☐	☐	☐
Le directeur a perdu sa voiture.	☐	☐	☐

4. Il n'était pas à l'heure parce qu'......... .

☐ il a eu un accident ☐ il a pris le bus ☐ il n'est pas parti à l'heure

• Compréhension écrite

Lisez le texte puis cochez les cases vrai, faux ou ? si l'information n'est pas donnée.

La Provence

On désigne souvent la Provence par l'expression «le midi de la France», ce qui signifie le Sud de la France. Les Provençaux ont la réputation d'être des gens sympathiques, sans doute parce qu'ils vivent au soleil presque toute l'année. Les villes situées sur la Côte d'Azur n'ont pas toujours été françaises. Nice, par exemple, appartenait encore à l'Italie en 1860. La cuisine provençale a gardé des noms à consonance italienne : l'aïoli, la bouillabaisse ; elle utilise beaucoup de condiments, l'ail et l'oignon, d'herbes aromatiques, le basilic, le thym, le romarin et aussi beaucoup d'huile d'olive. En Provence, on mange beaucoup de poisson et de fruits de mer (huîtres, crevettes et langoustes). Les vieux Provençaux parlent encore entre eux le «provençal», une langue d'oc (occitan) qui n'est plus parlée que par les vieilles personnes.

On trouve beaucoup de musées en Provence, car de nombreux artistes, tels Matisse et Cézanne, satisfaits d'y trouver une belle lumière et de beaux paysages s'y sont installés pour peindre. Renoir y a terminé sa vie dans sa maison *Les Collettes*. Picasso a vécu longtemps à Vallauris, près de Cannes.

Tous les étés, la Côte d'Azur reçoit de nombreux touristes, français et étrangers, qui viennent profiter eux aussi du soleil, des paysages, de la mer et de la cuisine «à la provençale».

	vrai	faux	?
1. Le mot «midi» a deux significations.	☐	☐	☐
2. La Côte d'Azur est en Provence.	☐	☐	☐
3. En Provence, il pleut presque toute l'année.	☐	☐	☐
4. Les Provençaux aiment les produits de la mer.	☐	☐	☐
5. En Provence, on apprend le provençal à l'école.	☐	☐	☐
6. Beaucoup de peintres ont aimé la lumière provençale.	☐	☐	☐
7. La petite ville de Vallauris est à côté de Cannes.	☐	☐	☐
8. Les touristes visitent la Provence toute l'année.	☐	☐	☐

● Expression orale

Répondez à la question : *Alors, ça va se passer comment cette semaine de vacances ?* **en vous aidant du document.**

Club de tourisme des Alpes Maritimes

Semaine du 1er au 7 mai

- **Dimanche 1er :** Arrivée à Cannes à 20 h 20. Réservations à l'hôtel Martinez pour 3 nuits.
- **Lundi 2 :** Visite du vieux Cannes (départ de l'hôtel à 10 h).

  Déjeuner au *Moulin de Mougins*, le restaurant des stars du Festival de Cannes.

  À 19 h 30, rendez-vous au palais du Festival, projection privée de deux films.

  Dîner libre.
- **Mardi 3 :** Rendez-vous au bar de l'hôtel à 10 h.

  Départ en bateau pour les Iles de Lérins et visite des îles toute la journée.

  Retour à l'hôtel vers 18 h.
- **Mercredi 4 :** Matinée libre.

  Rendez-vous devant le palais du Festival à midi et départ pour Nice (visite du vieux

  Nice, de la Promenade des Anglais et du musée Matisse), réservations à l'hôtel Casino pour 3 nuits.
- **Jeudi 5 :** Libre.
- **Vendredi 6 :** Visite de Menton.

  Déjeuner en Italie, shopping et visite des églises.

  Retour à Nice vers 20 h.
- **Samedi 7 :** Retour à Cannes et départ pour Paris.

● Expression écrite

Le 6 juillet, bien installé(e) à la terrasse d'un café, vous écrivez une petite lettre à un(e) ami(e) pour raconter votre séjour.

La lettre devra comporter :

- un en-tête ;
- une phrase pour dire le temps qu'il fait ;
- une phrase pour dire où vous êtes allé(e) le lundi ou le mardi ;
- une phrase pour dire ce que vous avez visité le mercredi ;
- une phrase pour dire ce que vous avez fait pendant votre journée libre ;
- une salutation finale.

• Compréhension orale

Écoutez les enregistrements et choisissez les réponses correctes.

Enregistrement 1

Qui téléphone ?

☐ Julie.
☐ Marc.
☐ Lucie.

Ils se retrouvent à quelle heure ?

☐ 6 heures et demie.
☐ 19 heures 30.
☐ 18 heures 30.

Où est situé le cinéma ?

☐ Boulevard de la République.
☐ Rue du docteur Aspic.
☐ Avenue de la République.

Enregistrement 2

Pour quand madame Duval veut-elle un rendez-vous ?

☐ Jeudi de cette semaine.
☐ Jeudi de la semaine prochaine.
☐ Mardi de cette semaine.

Pour quand a-t-elle un rendez-vous ?

☐ Lundi.
☐ Mardi.
☐ Samedi.

Pour qui prend-elle un rendez-vous ?

☐ Elle.
☐ Sa fille.
☐ Son fils.

Enregistrement 3

La personne cherche une location à quel moment de l'année ?

☐ En été.
☐ En hiver.
☐ Au printemps.

Elle recherche une location à quel endroit ?

☐ Près de la mer.
☐ À la campagne.
☐ À la montagne.

Où veut-elle passer des vacances ?

☐ Dans une petite ville.
☐ À côté d'une petite ville.
☐ Dans un village.

Enregistrement 4

Quand est-ce que le train part ?

☐ La semaine prochaine.
☐ Dans 15 minutes.
☐ Dans 10 minutes.

Quel est le problème pour le retour ?

☐ Il n'y a plus de place en seconde.
☐ Il n'y a plus de place en fumeurs.
☐ Il n'y a plus de place en non-fumeurs.

Enregistrement 5

Les places proposées sont des places…

☐ avec une réduction de 50%.
☐ gratuites.
☐ avec une réduction de 30%.

Les personnes doivent aller chercher les billets…

☐ immédiatement.
☐ mardi avant 19 heures.
☐ lundi prochain avant 15 heures.

Enregistrement 6

Que fait le père de Marie ?

☐ Il est professeur de mathématiques.
☐ Il est professeur de physique.
☐ Il est professeur de gymnastique.

Pourquoi Marie a-t-elle de bonnes notes ?

☐ Son père l'aide.
☐ Elle aime les maths.
☐ Elle travaille beaucoup.

• Expression orale

Jeux de rôles.

1. Vous avez participé à un repas de famille. Vous racontez à un(e) cousin(e) qui n'était pas là comment s'est passé le repas : les personnes présentes, les histoires de famille, le menu…
2. Vous voulez acheter un cadeau pour un(e) ami(e). Imaginez le dialogue avec le vendeur ou la vendeuse.
3. Vous avez répondu à une offre d'emploi qui demandait, en particulier, une certaine connaissance du français. Vous vous présentez à l'entretien.
4. Vous rencontrez un(e) camarade de classe que vous n'avez pas vu(e) depuis des années. Vous lui posez des questions sur sa vie, ses études, son travail. Vous lui racontez ce que vous avez fait et ce que vous faites.
5. Vous êtes allé(e) à une fête. Vous racontez à un(e) ami(e) qui n'est pas allé(e) à la fête et qui veut tout savoir, comment c'était, qui vous avez rencontré…

• Expression écrite

Un ami français de Toulouse, Félix, vous a écrit pour annoncer son intention de passer 15 jours dans votre pays en été.

Vous répondez à Félix pour :

• donner de vos nouvelles ;
• raconter ce que vous avez fait depuis votre dernière rencontre ;
• lui proposer des possibilités d'hébergement ;
• lui suggérer des endroits à visiter.

Votre texte comportera 100 mots environ.

EXERCICES COMPLÉMENTAIRES

PARCOURS 3

1. Les indicateurs de temps

Complétez en choisissant.

1. Je vais avoir 20 ans ....
   hier / aujourd'hui / demain
2. ...., j'ai regardé la télévision toute la nuit.
   Après-demain / Ce matin / Samedi dernier
3. Le train de Pierre arrive .... à 22 heures 10.
   la semaine dernière / ce matin / demain soir
4. ...., j'ai rencontré Jules au café.
   Hier soir / Demain / Jeudi prochain
5. ...., achète des raisins au marché !
   Mercredi dernier / Demain / Le mois prochain
6. On va au cinéma, ... ?
   hier soir / samedi dernier / ce soir
7. Il est parti il y a ....
   une heure / jeudi / la semaine dernière
8. Dépêche-toi, nous avons rendez-vous dans ....
   lundi / ce matin / cinq minutes
9. Je suis allé en Argentine ....
   l'année prochaine / l'année dernière / demain

2. Infinitif ou participe passé

Complétez en choisissant.

1. Tu .... travailler avec nous ?
   as / es / veux
2. Il .... parti il y a 5 minutes.
   est / veut / a
3. Ils .... allés en Italie.
   ont / aiment / sont
4. J'aime .... du vélo.
   fait / faire / aller
5. Nous .... aimé ce film.
   avons / allons / sommes

3. Le passé composé

Mettez les verbes entre parenthèses au passé composé.

1. Pierre et Marie (partir) .... à minuit.
2. Je (rester) .... 8 ans en Irlande. J'ai épousé un Irlandais.
3. Qu'est ce que vous (faire) ...., dimanche ?
4. Tu (recevoir) .... mon message ?
5. Tu (prendre) .... ton parapluie ? Il va certainement pleuvoir .
6. J'(oublier) .... mes clés dans l'autobus hier.
7. Mme Bertin (sortir) .... Elle revient dans 5 minutes.
8. Je (naître) .... le 31 décembre 1990.

4. Le pluriel des verbes à l'imparfait

Lisez ces trois textes et dites quels sont les points communs entre Marie, Pierre et Oriane.

Il y a 10 ans…

1. Marie était étudiante en sciences économiques. Elle avait 25 ans. Elle allait tous les mardis et jeudis à l'université. Elle allait souvent au cinéma avec des amies. Le mercredi, elle s'occupait de Léa, une petite fille de 5 ans.
2. Oriane était étudiante en droit. Elle avait cours tous les jours à l'université. Elle aimait beaucoup le cinéma, le chocolat et sortir avec des amies en boîte en fin de semaine.
3. Pierre était professeur de sciences économiques. Il avait 25 ans. Il donnait des cours le mardi et le jeudi. Il faisait du baby-sitting une fois par semaine. Le samedi, il allait danser dans une boîte branchée de la capitale.

5. Le passé composé avec être ou avoir

Complétez avec être ou avoir.

1. Lucie .... venue à quelle heure ?
2. Je .... fatigué. J'ai travaillé toute la journée.
3. Tu .... restée longtemps en Inde ?
4. Elles .... eu 20 ans le même jour.
5. Où .... -tu né ?
6. Ils .... entrés dans la maison par le toit.
7. Marc et Marie .... allés vivre au Canada.

Parler de soi et de son vécu 107

8. J'......... acheté de l'huile et des citrons.

9. Il .... tombé de vélo.

10. Je .... passé devant la maison de Marion.

6.	☐	☐
7.	☐	☐
8.	☐	☐

6. Appartement à louer

Écoutez puis dites si les informations données sont vraies ou fausses.

	V	F
1. Marianne a trouvé son appartement par Internet.	☐	☐
2. Marianne recherchait un appartement de 3 pièces.	☐	☐
3. Il y avait des appartements entre 3 200 F et 4 500 F.	☐	☐
4. Il y avait 4 appartements intéressants sur Internet.	☐	☐
5. Elle voulait habiter à côté de son travail.	☐	☐
6. Elle a trouvé un appartement à 3 500 F.	☐	☐

7. L'imparfait ou le passé composé

Complétez en choisissant l'imparfait ou le passé composé.

L'année dernière, *j'habitais / j'ai habité* dans un appartement qui *a été / était* très petit. *Je décidais / J'ai décidé* de déménager et *je trouvais / j'ai trouvé* un superbe deux pièces près d'un parc, mais avec un gros problème. Voilà comment ça *se passait / s'est passé*.

Un jour, *je passais / je suis passé* devant une agence immobilière et *j'ai vu / je voyais* une annonce intéressante. *J'entrais / Je suis entrée* dans l'agence. *Il y avait / Il y a eu* d'autres appartements à louer, mais *je voulais / j'ai voulu* l'appartement de l'annonce. *Je l'ai visité / Je le visitais* ; tout *a été / était* très calme. Mais le lendemain, *j'entendais / j'ai entendu* un bruit horrible. L'appartement *était / a été* juste à côté d'un aéroport.

8. Passé / futur

Écoutez et dites si l'action est passée ou à venir.

	action passée	action à venir
1.	☐	☐
2.	☐	☐
3.	☐	☐
4.	☐	☐
5.	☐	☐

9. C'était, il faisait, il y avait

Complétez en utilisant c'était, il faisait, il y avait.

1. .... froid sur la grand route, elle n'avait pas de parapluie.

2. À l'anniversaire de Marie, ... plus de 50 personnes.

3. .... vraiment très bien, félicitations !

4. .... beaucoup de neige à Chamonix en février ?

5. .... l'oncle Jules et la tante Renée. .... très sympa.

6. Nous étions en Bretagne en mars. .... très beau : 20 °C à l'ombre. .... déjà des arbres en fleurs, ... presque le printemps !

10. L'impératif

Transformez en ordre ce qui est une demande polie.

Exemple : - Vous pouvez me passer le sel ?
   - Passez-moi le sel !

1. Tu pourrais réparer la télé tout de suite ? ....

2. Vous pourriez porter cette valise dans ma chambre ? ....

3. Vous viendrez à 9 heures demain. ....

4. Alors, Rex, tu vas chercher la balle ? ....

5. Vous allez arrêter de parler ou je m'énerve. ....

6. Vous pourriez me donner une douzaine d'œufs et du roquefort ? ....

7. Tu pourrais te dépêcher, nous allons rater le train ! ....

11. La formation de l'imparfait

Classez les verbes dans le tableau. Quelle forme faut-il utiliser pour former l'imparfait d'un verbe ?

1. Nous allons au cinéma mardi.

2. Je ne lis plus, je n'ai pas le temps.

3. En été, j'allais en Italie avec mes parents.

4. Je peux venir avec vous ?

5. Ma femme et moi, nous lisons le journal tous les jours.

6. Je vais au théâtre vendredi soir.

7. Ils buvaient beaucoup de café.

8. Nous pouvons prendre le train.

9. Nous prenons le train à midi.

10. Je prends une ou deux baguettes ?

11. Je ne bois pas beaucoup.

12. Je prenais le métro tous les matins.

13. Nous buvons de l'eau à midi.

14. Pendant les vacances, je lisais au moins un livre par jour.

15. Je ne pouvais pas travailler.

	présent avec je	présent avec nous	imparfait
aller	....	....	....
boire	....	....	....
prendre	....	....	....
lire	....	....	....
pouvoir	....	....	....

12. L'imparfait
ou le passé composé

Mettez les verbes entre parenthèses au passé composé ou à l'imparfait.

1. Hier, je (passer) .... chez toi, tu n'(être) .... pas là.

2. Il (faire) .... beau. Le ciel (être) .... tout bleu. Tout à coup, la pluie (tomber).

3. Nous (avoir) .... rendez-vous à 9 heures ; elle (arriver) .... à 10 heures.

4. J'(rencontrer) .... Lucie en 1990 ; elle (enseigner) .... à l'université.

5. Il (vouloir) .... m'épouser ; j'(accepter) .... et voilà, nous sommes mariés.

6. Elle (vouloir) .... 6 enfants. Nous (avoir) .... 3 filles et 3 garçons.

7. Elle (prendre) .... tous les jours le métro. Nous (faire connaissance) .... à la station Pablo Picasso.

13. Le futur

Mettez les verbes entre parenthèses au futur.

1. Je viens à la réunion, mais je (rester) .... seulement 1 heure.

2. Demain, il (faire) .... beau toute la journée.

3. Vous (aller) .... à l'anniversaire d'Isabelle ?

4. J'(avoir) .... les résultats dans 2 jours.

5. Venez, vous (finir) .... ça plus tard !

6. Vous (prendre) .... de la viande ou du poisson ?

7. Mademoiselle, vous (pouvoir) .... appeler monsieur Dujardin à 9 heures ?

8. Dis, il (venir) .... le père Noël, ce soir ?

9. Tu finis d'abord ton travail, tu (dormir) .... après !

10. Du haut de la tour Eiffel, vous (voir) .... tout Paris.

14. Caractériser

Répondez comme dans l'exemple en utilisant les éléments de la liste.

fille	robe
jeune fille	jeans à fleurs
femme	baskets
dame	tailleur
garçon	collier de perles
jeune homme	lunettes
homme	chapeau
monsieur	blond(e)
	brun(e)
	roux (rousse)
	grand(e)
	petit(e)
	cheveux très courts
	cheveux frisés

Exemple : - C'est qui, Pierre ?
- C'est le garçon qui est blond, qui a des lunettes noires et qui porte des baskets.

1. C'est qui, madame Castel ?

2. Tu connais Marie-Charlotte ?

3. Et Eva, elle est sur la photo ?

4. Là, c'est Chloé ?

Parler de soi et de son vécu   109

15. Le passé composé

Mettez les verbes entre parenthèses au passé composé.

1. À Noël, j'(recevoir) .... beaucoup de cadeaux.
2. Qu'est-ce qu'il (dire) .... ?
3. Tu (répondre) .... à la lettre de Sandra ?
4. Ils (habiter) .... 5 ans au Brésil.
5. Vous (comprendre) .... ?

16. Le passé composé

Mettez les verbes entre parenthèses au passé composé.

1. Pierre et Marie ne sont pas là. Ils (sortir) ....
2. En juillet, Cécile (aller) .... en Italie.
3. Ils (partir) .... il y a 1 heure.
4. Je ne l'attendais plus. Elle (venir) .... à minuit.
5. Tu (monter) .... tout en haut de la tour Eiffel ?
6. Carole et Manon (arriver) .... à quelle heure ?

17. Les indicateurs de temps

Complétez les phrases en choisissant dans la liste :
tout de suite - hier - il y a – ce soir – demain –
l'année dernière – dans une semaine

1. Vous êtes allés au Japon .... ?
2. Il est sorti .... une heure.
3. Je n'ai pas classe .... C'est mercredi.
4. J'ai fait les courses avec Michel ....
5. Les grandes vacances c'est bientôt, c'est ....
6. On se voit .... ou demain soir ?
7. Attends-moi, je reviens ....

18. Phonétique

**Écoutez et dites si vous avez entendu le son
[ɑ̃] / [ɔ̃] / [ɛ̃].**

	1.	2.	3.	4.	5.	6.	7.	8.	9.	10.
[ɑ̃]	❑	❑	❑	❑	❑	❑	❑	❑	❑	❑
[ɔ̃]	❑	❑	❑	❑	❑	❑	❑	❑	❑	❑
[ɛ̃]	❑	❑	❑	❑	❑	❑	❑	❑	❑	❑

19. Passé / présent / futur

**Écoutez et dites s'il s'agit du passé, du présent ou
du futur. Qu'est-ce qui l'indique ?**

	passé	présent	futur	ce qui l'indique
1.	❑	❑	❑	....
2.	❑	❑	❑	....
3.	❑	❑	❑	....
4.	❑	❑	❑	....
5.	❑	❑	❑	....
6.	❑	❑	❑	....
7.	❑	❑	❑	....
8.	❑	❑	❑	....

20. Pourrais-je parler à... ?

**Écoutez et dites quel jour et à quelle heure
la personne téléphone.**

Lundi	Mardi	Mercredi	Jeudi	Vendredi
Réunion de 10 h 30 à 12 h 30	Colloque à Bruxelles	Colloque à Bruxelles	9 h à 12 h : réunion 12 h à 13 h : déjeuner 14 h à 15 h : réunion	9 h à 11 h 30 : cours

	1.	2.	3.	4.	5.	6.
jour	....	....	....	....	....	....
heure	....	....	....	....	....	....

21. Présent, passé, futur

**Vous allez entendre trois séries d'enregistrements.
Dans chaque série, repérez s'il s'agit du présent,
du passé ou du futur.**

Phrases		1.	2.	3.	1.	2.	3.	1.	2.	3.
Série 1	Passé	❑	❑	❑	❑	❑	❑	❑	❑	❑
	Présent	❑	❑	❑	❑	❑	❑	❑	❑	❑
	Futur	❑	❑	❑	❑	❑	❑	❑	❑	❑
Série 2	Passé	❑	❑	❑	❑	❑	❑	❑	❑	❑
	Présent	❑	❑	❑	❑	❑	❑	❑	❑	❑
	Futur	❑	❑	❑	❑	❑	❑	❑	❑	❑
Série 3	Passé	❑	❑	❑	❑	❑	❑	❑	❑	❑
	Présent	❑	❑	❑	❑	❑	❑	❑	❑	❑
	Futur	❑	❑	❑	❑	❑	❑	❑	❑	❑

Séquence zéro : Premiers contacts

Page 7
Petit tour du monde
- Qu'est-ce qu'on fait, ce soir ? On va au restaurant ?
- Au restaurant ? Oui, d'accord !

Page 7
Transparence
1. On va au restaurant ?
2. C'est quoi, ton numéro de téléphone ?
3. Moi, je vais au cinéma.
4. Tu regardes trop la télévision.
5. Il est facile, cet exercice !
6. J'ai rendez-vous avec Marie.
7. Tu parles quelle langue ?
8. Tu connais un bon hôtel ?
9. Au Brésil, on parle portugais.

Page 9
Le langage de la classe
1. - Je m'appelle Clara Kormansky.
   - Parlez plus fort !
   - Je m'appelle Clara Kormansky.
2. - Je m'appelle Sophie Tell.
   - Vous pouvez épeler ?
   - Sophie T-E-2L.
3. - Je m'appelle…
   - Je n'ai pas compris.
   - Kristina Paap.
4. - Je m'appelle Marcos Lopez.
   - Vous pouvez répéter ?
   - Marcos Lopez.
5. - Je m'appelle Hnrch Schumacher.
   - Parlez moins vite, s'il vous plaît !
   - Heinrich Schumacher.

Page 10
Phonétique
1. C'est à toi ? / Ce n'est pas toi ?
2. C'est ici ? / C'est ici ?
3. Il s'appelle Lopez ? / Elle s'appelle Lopez ?
4. C'est à Issy. / C'est à Izy.
5. Je veux manger. / Je vais manger.
6. C'est lui, c'est sûr. / C'est lui, c'est sûr.
7. C'est ta bière ? / C'est à Pierre ?
8. Quel vent ! / Quel vin !
9. C'est fou ! / C'est vous !
10. C'est une blague ? / C'est une blague ?
11. Il a une voix dure ! / Il a une voiture !

Page 10
Douce France
Douce France
Cher pays de mon enfance
Bercée de tendre insouciance
Je t'ai gardée dans mon cœur…

PARCOURS 1 : DEMANDER ET DONNER DE L'INFO

Séquence 1 : Le français, c'est facile

Page 12
Situations
Dialogue témoin :
- Salut, Corinne ! Ça va ?
- Oui, ça va, et toi ?
- Ça va !
1. - Allô ? Bonjour, c'est Pierre. Maurice est là ?
   - Non.
2. - Monsieur Michel ?
   - Non, mon nom, c'est François, mon prénom, c'est Michel.
3. - Un café, Isabelle ?
   - Oui, merci.
4. - Bonjour, je suis madame Berthier ! J'ai rendez-vous avec le docteur.
   - Entrez !
5. - Au revoir, madame Petitpas.
   - Au revoir, madame Lopez, à bientôt !

Page 13
Qui est-ce ?
Dialogue témoin :
- Vous vous appelez comment ?
- Jean-Luc Vincent, je suis dermatologue.
1. - Zora, elle est étudiante ?
   - Mais non, elle est informaticienne.
2. - Charles et toi, vous êtes étudiants ?
   - Non, informaticiens.
3. - Carole, elle est dentiste ?
   - Carole ? Non, elle est étudiante.
4. - Bonjour, vous êtes étudiant ?
   - Oui.
5. - Allô ? Docteur Germain à l'appareil.
   - Ah, bonjour docteur.
6. - Bruno, il est docteur ?
   - Mais non.

Page 14
Célébrités
Dialogue témoin :
- C'est un chanteur de rock ?
- Oui.
- Il est américain, anglais ?
- Non, français.
- Ça existe, un chanteur de rock français ?
1. - C'est une chanteuse ?
   - Non, c'est une actrice.
   - Française, italienne ?
   - Elle est française.
2. - C'est un acteur. Il est célèbre.
   - Il est américain ?
   - Mais non, français !

Page 14
Exercice : intonation
1. Allô ? C'est Zora ?
2. C'est qui ?
3. À bientôt.
4. Moi, je m'appelle Carole Masson.
5. Ça va ?
6. Elle est étudiante.
7. Bonjour.
8. Tu t'appelles comment ?
9. Ça va.
10. C'est bon ?

Page 14
Phonétique : un / une
1. Juliette Binoche ? C'est une actrice célèbre.
2. C'est une députée européenne.
3. *Le Polka* ? C'est un restaurant polonais.
4. Le français, c'est une langue facile.
5. Tu connais un hôtel pas cher ?
6. Une minute, s'il te plaît !
7. Garçon ! un café, s'il vous plaît !
8. Julie ? C'est une amie.
9. *Titanic* ? C'est un film américain.
10. C'est une jolie ville.

Page 15
Au travail !
Dialogue témoin :
Une baguette et deux croissants !
1. Souriez !
2. …
3. Mmm, ça sent bon, les fleurs !
4. Aïe !
5. Bonjour, c'est le facteur !

Page 16
Salutations
Dialogue témoin :
- Bonjour Pierre ! Tu vas bien ?
- Bonjour monsieur Junot ! Comment allez-vous ?
1. - Bonjour ma chérie, tu vas bien ?
   - Ça va, et toi ?
2. - Salut, qu'est-ce que tu fais ?
   - Rien, le prof de maths est malade.
3. - Bonjour monsieur !
   - Bonjour madame ! Vous désirez ?
4. - Marie, je vous présente Pierre.
   - Bonjour, Pierre.
5. - Allô ? Bonjour Caroline, tu es toujours d'accord pour le cinéma ?
   - Toujours d'accord !
6. - Au revoir monsieur le président.
   - Au revoir, mademoiselle Martin, à demain.
   - À demain !

Page 17
Dialogues à jouer
Dialogue témoin :
- Bonjour… Jacqueline Dufour.
- Jacqueline Dufour ? Ah ! bonjour…
1. - Monsieur Martin ! Monsieur Martin !
   - Bonjour, mademoiselle Lambert. Comment allez-vous ?
2. - Salut, Jean-Luc !
   - Oh ! Maurice ! Tu vas bien ?
3. - Entrez !
   - Bonjour, monsieur !
   - Bonjour, mademoiselle. Asseyez-vous !
4. - Allô ? Heu…, je voudrais, heu… parler à Joëlle Lemercier.
   - C'est moi.
   - Salut Joëlle, c'est Sylviane.
   - Salut Sylviane ! Tu vas bien ?
5. - Bonjour, Claire !
   - Bonjour, Jacques. Vous allez bien ?

Page 17
Exercice : tu / vous
1. - Bonjour, mademoiselle !
   - Bonjour, monsieur.

2. - Salut Marcel, à demain !
   - Oui, à demain, salut !
3. - Ça va ?
   - Ça va, et toi ?
4. - Vous voulez un café ?
   - Oui, merci.
5. - Bonjour, Marc, ça va ?
   - Oui, ça va.
6. - Bonjour messieurs dames !
   - Bonjour madame.
7. - Alors, on va au cinéma ?
   - Ouiiiii ! Super !
8. - Au revoir, monsieur.
   - Au revoir.
9. - Allô ? Carole ? C'est Julien.
   - Oh ! Julien, tu vas bien ?
10. - Allô ? maman ?
    - Non, c'est papa !

Page 17
Phonétique : [y] / [u]
1. Tu l'as vu ?
2. Oh ! là, là ! c'est dur !
3. Vous voulez des nouilles ?
4. Pourquoi pas nous ?
5. Il est connu ?
6. Comme il est doux !
7. Coucou ! C'est nous !
8. Vous pouvez m'ouvrir ?
9. Allez, salut !
10. Tu as du sucre ?

Page 18
Les prénoms
1. Je m' présente, je m'appelle Henri, j'voudrais bien réussir ma vie, être aimé…
2. Cécile, ma fille…
3. Marcel, Marcel quand je l'appelle, moi je l'appelle Marcel…
4. Elle avait un joli nom mon guide, Nathalie…
5. Joyeux anniversaire, joyeux anniversaire, joyeux anniversaire, Patrick, joyeux anniversaire !
6. Il est libre, Max…

Page 18
Écrit : ponctuation
1. Vous êtes étudiant ou étudiante en informatique ? Vous êtes dynamique ! Vous aimez le travail en équipe ! Vous habitez à Paris, vous êtes bilingue. Vous connaissez Excel, Access, Word 2000 ? Téléphonez vite au 02 87 54 38 22 !
2. Vous aimez la nature, le sport, les animaux ? Vous avez entre 18 et 25 ans ? Vous aimez l'Auvergne ? On vous propose un emploi en pleine nature ! Pour avoir plus d'informations, téléphonez au 0 800 34 52 78 96 !

Séquence 2 : Que connaissez-vous de la France ?

Page 19
C'est à quel sujet ?
Dialogue témoin :
- Excusez-moi, la mairie, s'il vous plaît ?
- C'est en face.
- Merci !
1. - Qu'est-ce que vous prenez ?

- Deux cafés, s'il vous plaît.
2. - C'est combien le sac, là ?
   - Cinq cents francs.
   - Oh ! là, là ! c'est cher !
3. - Allô ? C'est Julie !
   - Tu es à Paris ?
   - Non, je suis à Lyon !
4. - Tu connais Vincent ?
   - Non.
   - Et bien, voici Vincent.
   - Bonjour Vincent !
   - Salut !
5. - Il est à quelle heure, le train pour Marseille, s'il vous plaît ?
   - À 22 h 05
   - Merci !

Page 20
Ils sont français
Dialogue témoin :
Je suis informaticien à Rennes. Je parle breton, un peu chinois et j'aime la musique africaine.
1. Je suis étudiante à l'université Charles de Gaulle, à Lille. Je parle anglais et polonais, j'aime la musique espagnole.
2. Moi, je suis étudiant au lycée Bonaparte, à Ajaccio. Je parle italien et corse et j'aime la musique brésilienne.
3. Moi, j'aime la musique espagnole. Je parle espagnol et je suis libraire à Marseille.
4. Bonjour, je suis musicienne au Conservatoire de Lyon. Je parle allemand et j'aime la musique classique allemande.

Page 20
Phonétique : [s] / [z]
1. Il s'appelle Marc.
2. Vous allez bien ?
3. C'est Alice.
4. Passe-moi le sel !
5. Voilà douze œufs.
6. Elles sont douces.
7. Ils appellent Marc.
8. Il est dix heures.
9. J'aime toutes les musiques.
10. Elle vient, Denise ?

Page 21
Rendez-vous
Dialogue témoin :
- Tu connais l'hôtel des Arts ? Rendez-vous à 16 heures, OK ?
- D'accord ! À l'hôtel des Arts, à 4 heures.
1. - Allô, Pierre ? On va au restaurant ?
   - Oui, *Chez Fernand* ?
   - Oui, à tout à l'heure !
2. - Tu vas à la pharmacie ?
   - Oui, pourquoi ?
   - C'est le 14 Juillet, c'est fermé.
   - Non, non, la pharmacie *Roméo* est ouverte.
3. - Où tu vas ?
   - À la bibliothèque, tu viens ?
   - Non, je suis fatigué.
   - Bon, demain alors ?
   - OK.
4. - Tiens, Jacques, où tu vas ?
   - Je vais au secrétariat de l'université.
   - Pourquoi ?
   - Pour les inscriptions, tiens !

Page 22
Où est-il ? Où est-elle ?
Dialogue témoin :
- Mademoiselle, vous désirez ?
- Un carnet de timbres, s'il vous plaît.
- Voilà.
- Merci !
1. Taxi ! À la tour Eiffel, s'il vous plaît !
2. - Et pour vous, monsieur, une pizza ?
   - Non, des spaghettis !
3. - Mouloud ?
   - Présent !
   - Sylvie ?
   - Présente !
   - Samia ?
   - Présente !
4. Ouille ! elle est froide.
5. - Mademoiselle Ginette Duval, voulez-vous prendre pour époux monsieur Lucio Bertone, ici présent ?
   - Oui.
   - Monsieur Lucio Bertone, voulez-vous prendre pour épouse mademoiselle Ginette Duval, ici présente ?
   - Oui.
   - Vive la mariée, vive le marié, vive les mariés !

Page 23
Les nombres
Dialogue témoin :
- Un ticket, s'il vous plaît.
- 8 francs.
- Voilà.
- Merci.
Première série
1. Mon code ? B 12 24.
2. - Joyeux anniversaire ! Joyeux anniversaire !
   - Merci ! J'ai 19 ans aujourd'hui !
3. Je suis né le 10 juillet, et toi ?
4. Mon téléphone ? C'est le 01 45 32 60 12.
5. - Votre numéro de passeport, s'il vous plaît.
   - 25 01 94 3707.
6. - C'est combien ?
   - 67,25 euros.
   - Merci !
Deuxième série
1. - C'est quoi, ton digicode ?
   - 21 A 16.
2. - Tu me donnes ton numéro de téléphone ?
   - Oui. 01 67 07 17 82.
3. - Tu as quel âge ?
   - 16 ans.
4. - Mon anniversaire, c'est en juillet.
   - Ah, oui ? quel jour ?
   - Le 27.
5. - Allô ? Tu peux me donner le numéro du poste de Sophie ?
   - Oui, c'est le 13 67.

Page 24
Ça se passe quand ?
Dialogue témoin :
Poisson d'avril !

Page 26
Où vont-ils ?
Dialogue témoin :
- Allô Paul ? Tu vas à la piscine ?
- Ah non ! Moi, la piscine, c'est le mercredi.

1. - Mathieu, Mathieu, on va au cinéma jeudi ?
   - Désolé Carole, le jeudi je ne peux pas. Vendredi si tu veux.
   - Bon, d'accord, vendredi.
2. - Au revoir Lucie, bonne fin de semaine ! À lundi, au bureau.
   - À lundi Patrick !
3. - Allô maman ? C'est Julien. J'arrive dimanche soir à la gare du Nord, à 21 h 35. Tu viens me chercher ?
   - Oui, oui, à dimanche.
4. - Tu vas faire les courses, Madeleine ?
   - Oui René, c'est jeudi, c'est le jour du marché, tu viens ?
   - Oui, j'arrive.
5. - Allô Pierre ? Quand est-ce que tu as cours ?
   - Le mardi et le jeudi.

Page 26
Où et quand ?
1. Un carnet de chèques, s'il vous plaît !
2. Elles sont belles mes salades !
3. - C'est grave ?
   - Non, c'est la grippe.
4. Dans un mois, c'est l'été.
5. Un café, s'il vous plaît !
6. Dans une semaine, c'est la fête nationale.
7. Demain, c'est dimanche.

Séquence 3 : Anticipation / reprise

Page 27
Décalage horaire
Dialogue témoin :
- On part de Paris à midi.
- Et on arrive à quelle heure ?
- À dix heures !
1. Nous allons atterrir dans quelques minutes, attachez vos ceintures et relevez votre tablette. Il est 18 heures, heure locale, le commandant vous souhaite un agréable séjour.
2. - Allô chérie ? Tu m'entends ? Les vacances sont formidables ! Le soleil est fantastique !
   - Mais David, je dors, il est 4 heures du matin à Paris !
   - Oh, pardon ! Excuse-moi, ici il est 7 heures du soir ! Dors bien, ma chérie.
   - Ouais, tu parles...
3. Mesdames et messieurs, nous arrivons en gare de Waterloo. Il y a une heure de différence avec Paris, il est donc 13 heures, heure locale.
4. Allô ? Judith ? C'est formidable ! Je suis à 3 000 km de Paris et il est exactement la même heure. Midi chez toi, midi chez moi.

Page 27
Exercice : l'heure
1. - Tu viens à quelle heure ?
   - Midi moins le quart, ça va ?
   - Oui, oui, ça va.
2. - On va au cinéma, ce soir ?
   - Oui, à quelle heure ?
   - 8 heures ?
   - OK.
3. - J'ai rendez-vous chez le dentiste à 7 heures et demie.

- Le matin ?
- Mais non, le soir !
4. Train n° 642 à destination de Grenoble, départ 16 h 53, voie B !
5. Le vol en provenance de Santiago est attendu à 23 h 16.
6. Ce soir, à la télévision, sur la chaîne Infos, discours du président de la République à 19 h 15.
7. - Tu prends un café ?
   - Non, non, je suis en retard, j'ai cours à la fac à 8 heures et demie.
8. Nous passons à l'heure d'été dans la nuit de samedi à dimanche, à 3 heures moins le quart.

Page 28
C'est ouvert ou c'est fermé ?
1. - Qu'est-ce qu'on fait ? On va au musée ?
   - Mais non, c'est mardi, c'est fermé !
   - Bon, ben alors, demain ?
   - D'accord.
2. - Tiens, Michel, va acheter 3 kg de tomates.
   - Mais maman, il est 8 heures, c'est fermé !
   - Mais non, va à l'épicerie du coin, c'est ouvert !
3. - Tu rentres à quelle heure ?
   - À 1 heure, avec le dernier métro.
   - C'est sûr ?
   - Mais oui, ne t'inquiète pas.
4. - Une table pour quatre, s'il vous plaît.
   - Désolé, monsieur, il est minuit, le cuisinier est parti.
5. - Aïe, aïe, aïe ! j'ai mal à la tête. Tu as une aspirine ?
   - Non, et c'est dimanche, la pharmacie est fermée.
   - Va à côté de la gare, elle est ouverte le dimanche.
   - D'accord.
6. - Tu vas chercher Doudou à l'école ?
   - Mais non, c'est mercredi, il n'y a pas d'école.

Page 29
Présent, passé, futur
Dialogues témoins :
1. - Allô ? Pierre est là ?
   - Oui, mais il dort.
2. - Tu as bien dormi ?
   - Oui, très bien et toi ?
3. - Tu travailles demain ?
   - Non, demain c'est samedi, je dors.
Bloc 1 :
1. - Où est-ce que tu habites ?
   - Rue Bleue.
2. Marseille, je connais bien, j'y ai habité dix ans.
3. En juillet, on déménage. On va habiter place Blanche, à Pigalle.
Bloc 2 :
1. - Lundi, on mange ensemble ?
   - Pas lundi. Mardi, d'accord ?
2. - Qu'est-ce que tu manges ?
   - Des escargots. C'est bon. Tu veux goûter ?
   - Beurk, non merci !
3. - Hier, j'ai mangé chez ma mère.
   - Elle va bien ?
   - Oui, ça va.

Bloc 3 :
1. - Demain soir, tu es libre ?
   - Oui, pourquoi ?
   - On va au cinéma ?
   - D'accord, à demain !
2. - Vous avez passé un bon week-end ?
   - Oui, on est allé à la plage, à Saint-Malo.
3. - Salut ! Tu vas où ?
   - À la fac.
Bloc 4 :
1. - Qu'est-ce que tu fais?
   - Tu vois, je travaille.
   - Dommage !
2. - Tu vas à la plage, ce week-end ?
   - Non, je travaille.
3. - Tu as passé une bonne journée ?
   - Oui, j'ai travaillé avec Gilles, on a terminé nos exercices.

Page 29
Exercice : passé composé
1. Ouf ! J'ai fini !
2. Qu'est-ce que tu as dit ?
3. Désolé. Il est parti !
4. Qu'est-ce que tu as fait ce week-end ?
5. Je n'ai pas compris.
6. Cette nuit, j'ai mal dormi.
7. Tu as téléphoné à André ?
8. J'ai bien mangé !

Page 30
En famille
Dialogue témoin :
- Qu'est-ce qu'il fait, ton père ?
- Mon père ? Il est employé de banque.
1. C'est un cadeau de mon oncle. Il est viticulteur à Blaye, près de Bordeaux.
2. Tu vas à Paris ? Si tu as un problème, téléphone à ma tante, elle travaille dans la police.
3. Tu veux être mannequin ? Tu veux le téléphone de ma cousine ? Elle travaille dans la mode.
4. Je vais passer quelques jours chez mon grand-père. Il a un petit bateau.
5. Là, sur la photo, je suis avec ma sœur Agnès et mon frère Victor. On est à la montagne, près de Morzine, chez mon oncle Marc. Il a un hôtel.
6. Je te présente ma sœur Caroline. Elle fait du théâtre.

Page 31
C'est qui on ?
Dialogue témoin :
- On parle en français ?
- Oui, d'accord. Mais moi pas comprendre tout.
1. - Bonjour, je m'appelle Julio, je suis brésilien.
   - Ah ! le Brésil, la salsa !
   - Euh non, au Brésil, on danse la samba.
   - Ah oui, je parle un peu espagnol. *Donde vive usted ?*
   - Au Brésil, on parle portugais !
2. - Pierre ! On te demande au téléphone !
   - C'est qui ?
   - C'est ta sœur.

3. - Tu as ton portable ?
   - Oui, pourquoi ?
   - On téléphone à Joseph ?
   - D'accord !
4. - Qu'est-ce qu'on fait ?
   - Rien, on attend !
5. En France, ce n'est pas comme en Espagne ! En France, on mange à midi, et à 8 heures le soir. Vous, c'est à 3 heures de l'après-midi et pas avant 9 heures le soir.
6. - Maman, qu'est-ce qu'on mange ?
   - Hamburger - frites !
   - Encore !
7. Simon ! On sonne ! Va ouvrir !

Page 31
Phonétique : [ɔ̃] / [ɑ̃]
1. C'est Fernand.
2. Voilà mon oncle.
3. Une chambre, s'il vous plaît !
4. Je vous présente ma maman.
5. J'habite à Lyon.
6. C'est quand, le ramadan ?
7. Non, ce n'est pas bon !
8. Attends-moi !
9. Pas le temps !
10. Votre nom, s'il vous plaît.

Page 32
L'esprit d'entreprise
Dialogue témoin :
- Monsieur Lestrade ? Les représentants de Fumichi sont là, pour la visite de l'entreprise.
- Vous leur offrez du thé ou du café. J'arrive.
- Monsieur Lestrade arrive ! Thé ou café ?

Séquence 4 : Cadres de vie

Page 33
En ville ou à la campagne ?
Dialogue témoin :
- Il habite où, le docteur Berthier ?
- À la montagne, à Courchevel.
1. - Tu habites où, toi ?
   - À Nanterre.
   - C'est où ?
   - C'est en banlieue, dans la banlieue de Paris.
2. Moi, j'habite en ville, à Bordeaux. C'est calme et sympa.
3. C'est bien d'habiter à la campagne, n'est-ce pas mon lapin ?
4. - Dis donc, c'est tranquille ici, c'est comme dans un village.
   - Oui, le stationnement est interdit au centre-ville.

Page 34
Où vont-ils en été ?
Dialogue témoin :
- Où est-ce que vous allez en été ?
- Moi, en juillet, je vais à la campagne. En août, je travaille.
1. - Où est-ce que vous allez, en été ?
   - Ah, pour moi, l'été, c'est la Méditerranée, je vais à la mer, à Nice.
2. - Où est-ce que vous allez, en été ?
   - En été, moi, j'adore la campagne ! Je passe le mois de juillet dans un petit village très sympathique.
3. - Où est-ce que vous allez, en été ?

- Moi, en été, je travaille. Je vais au Maroc en hiver.
4. - Où est-ce que vous allez, en été ?
   - En juillet, nous allons en Bretagne, et en août, à la montagne, en Suisse.
5. - Où est-ce que vous allez, en été ?
   - Moi, je vais toujours à la mer, en Corse.

Page 34
Phonétique : [ɑ̃] / [ɛ̃]
1. Il est cinq heures.
2. C'est maman.
3. Tu aimes le vin ?
4. Il a cent ans ?
5. Ça dépend !
6. Il est nigérien.
7. C'est ma main.
8. Tu aimes le vent ?
9. Ce n'est pas bien.
10. Il est nigérian.

Page 35
Exercice : singulier / pluriel
1. Ils habitent à Marseille.
2. Il travaille au centre-ville.
3. Elle est sympa.
4. Ils vont en vacances en Inde.
5. Ils sont à Paris.
6. Il aime le jazz.
7. Il est au cinéma.
8. Elles aiment la bouillabaisse.
9. Ils parlent chinois.
10. Ils comprennent le français ?

Page 36
C'est comment ?
Dialogue témoin :
- Allô, maman ?
- Oui, tu es où ?
- À Oaxaca.
- Où ?
- Oaxaca, au Mexique, c'est une petite ville à 500 km au sud de Mexico. Il y a des pyramides juste à côté. C'est superbe.
- Tu reviens quand ?
- Lundi.
1. Bonjour de Tokyo, à 10 000 km de la France. Il est actuellement 3 heures de l'après-midi et l'immense ville est en pleine activité. Je vous rappelle que Tokyo est une ville de 12 millions d'habitants. La circulation en ville est très difficile.
2. - Tu vas où ce week-end ?
   - À Honfleur.
   - C'est où, ça ?
   - C'est en Normandie. C'est une petite ville au bord de l'Atlantique, un petit port...
   - C'est loin de Paris ?
   - Non, pas trop... à 190 kilomètres.
3. - Et maintenant, «Questions pour un champion» : les capitales d'Europe. Alors, il y a combien d'habitants à Paris ?
   - 8 millions.
   - Non, c'est faux !
   - 5 millions ?
   - Non.
   - 3 millions ?
   - Non, la réponse est 2 150 000 habitants.
4. - J'ai un exposé à faire sur Barcelone, tu peux m'aider ?
   - Qu'est-ce que tu veux savoir ?

- C'est une grande ville ?
- Oui. C'est la capitale de la Catalogne.
- Il y a combien d'habitants ?
- 1 600 000.
- Et c'est où en Espagne ? au sud ? au nord ? au centre ?
- Au nord-est. À 165 km de la frontière avec la France.

Page 37
Les villes de France
1. - Tu vas où en vacances ?
   - À La Rochelle.
   - C'est où, La Rochelle, dans le Sud ?
   - Non, dans l'Ouest.
   - C'est grand ?
   - Non, pas très grand, c'est une petite ville de 75 000 habitants.
2. - Il habite où, Marc ?
   - À Arles.
   - C'est où, Arles ?
   - Dans le Sud.
   - C'est une grande ville ?
   - Non, il y a 53 000 habitants.
3. - Tu travailles où ?
   - À Lille.
   - C'est une grande ville ?
   - Oui, il y a 180 000 habitants.
   - Et c'est où, exactement ?
   - Dans le Nord, à une heure de Paris.
4. - Tu habites où ?
   - À Toulouse.
   - C'est joli ?
   - Oui, c'est une jolie ville.
   - C'est dans le Sud-Est ?
   - Non, dans le Sud-Ouest, c'est une grande ville, de 370 000 habitants.

Page 38
À la maison
- Monsieur, à la maison, vous faites la vaisselle ?
- Oui, oui, je fais la vaisselle.
- Non, ce n'est pas vrai, c'est moi !
- Bon, et les courses, qui c'est qui fait les courses ?
- C'est moi.
- Vous avez un chat, un chien ?
- Oui, un chat et un chien. Je m'occupe du chat et elle sort le chien.
- Vous faites la cuisine ?
- Oui, j'aime bien, je fais souvent la cuisine.
- Et qui fait le ménage ?
- Là, le ménage, c'est moi.
- D'accord, elle fait le ménage, mais moi je bricole, je regarde la télé et je m'occupe des enfants.
- Moi, j'aime pas la télé.

Page 38
Exercice : *ne pas* ou *pas*
1. - On va au cinéma ce soir ?
   - Non, je peux pas, je travaille.
2. Elle est pas là, Lucie ?
3. - Vous aimez Brahms ?
   - Oui, j'adore, et vous ?
   - Moi, je n'aime pas du tout.
4. - Tu veux sortir ce soir ?
   - Non, je veux pas, je suis fatigué.
5. - Tu connais Marcel ?
   - Non, je le connais pas, qui est-ce ?
6. Je sais pas quoi faire.
7. - La rue Lepic, c'est loin ?
   - Non, ce n'est pas loin, c'est à 100 mètres.
8. Ah non ! je ne fais pas la vaisselle !

Page 38
Phonétique : [p] / [b]
1. On va à Bari ?
2. Il est habile ?
3. C'est pas mal…
4. On va à Paris ?
5. Il est à piles ?
6. Tu prends un pain ?
7. C'est un beau bébé !
8. C'est parfait !
9. Quel beau bateau !
10. Paul, il est parti !

PAGE 39
Évaluation : compréhension orale

Message 1
Vous êtes bien au cabinet du docteur Dumond. Laissez votre message après le bip.
- Allô, docteur, je suis Marie Duval, c'est pour un rendez-vous. Le mercredi 8 à 18 heures. Vous pouvez m'appeler pour confirmer ? Merci docteur.

Message 2
Marie et Pierre Duval. Nous ne sommes pas là. Laissez un message après le bip.
- Allô, c'est le docteur Dumond. C'est un message pour madame Duval. C'est d'accord pour le mercredi à 18 heures. Au revoir madame Duval, à mercredi.

Message 3
Vous êtes sur la boîte vocale d'Abdel Habrih. Parlez après le bip.
- Bonsoir chéri, tu vas bien ? C'est Sarah. On se retrouve, comme convenu, devant le cinéma à huit heures moins le quart.

Message 4
Vous êtes bien au 04 65 66 17 14, chez Sarah Domingo. Je ne suis pas là mais vous pouvez laisser un message après le bip et je vous rappellerai.
- Sarah ? C'est Abdel. Impossible le cinéma pour ce soir, désolé.

Message 5
- Allô, c'est toi Françoise ? c'est Pierre. C'est toujours d'accord, pour ce soir, au restaurant ?
- Ben non, je suis pas à la maison.
- Tu es où ?
- À Grenoble. J'ai fait un transfert d'appel…

Exercices complémentaires

Page 40
Exercice 1
Intonation : questions, affirmations
1. C'est Sophie.
2. Qu'est-ce que c'est ?
3. Tu es français ?
4. Elle est actrice.
5. C'est une actrice ?
6. Comment tu t'appelles ?
7. Bonjour.
8. C'est difficile.
9. Vous comprenez ?
10. Tu vas bien ?

Page 40
Exercice 3
Masculin / féminin
1. Claude est ingénieur.
2. Elle est médecin.
3. Boris est russe.
4. C'est un étudiant espagnol.
5. Il s'appelle Dominique.
6. C'est le prof de français ?
7. Andrée est actrice.
8. Carole est anglaise.
9. Dominique aime la musique anglaise.
10. Elle est étudiante.

Page 40
Exercice 5
Phonétique : [y] / [u]
1. Il est pour.
2. Il est sûr.
3. C'est dessous.
4. Tu as vu ?
5. Tu la loues ?
6. Il a rugi.
7. Elle est rousse.
8. Tout va bien ?
9. Il sait tout.
10. Il est ému.

Page 41
Exercice 9
Tu / vous
1. Bonjour monsieur, tu t'appelles comment ?
2. - Je vous présente monsieur le directeur.
   - Bonjour monsieur.
3. Allô ? Bonjour madame. Tu vas bien ?
4. - Danièle, je te présente Thierry, un ami.
   - Salut Thierry.
5. - Allez, Julie, dis bonjour à madame Legay.
   - Bonjour Legay.

Page 42
Exercice 14
Présent / passé
1. - Vous avez compris ?
   - Non.
2. - Vous comprenez ?
   - Oui, ça va.
3. - Qu'est-ce que tu fais ?
   - Rien, je regarde la télé.
4. - Qu'est-ce que tu as fait hier ?
   - J'ai travaillé.
5. - Qu'est-ce que tu as dit ?
   - Rien, pourquoi ?
6. - Il a vingt ans ?
   - Ben oui.
7. - Tu as téléphoné à Julie ?
   - Oui, hier soir.
8. - Je travaille tout le temps.
   - Moi aussi.
9. - Qu'est-ce que tu as fait samedi ?
   - Je suis allé au ciné.
10. - J'ai bien mangé.
    - Qu'est-ce que tu as mangé ?
    - Des escargots.

Page 42
Exercice 17
La ponctuation
Je m'appelle Judith Miller, je suis petite et jolie, j'ai 22 ans et j'habite à Marseille, rue Marcel Pagnol. Je tra-vaille chez moi sur mon ordinateur. Je suis informaticienne. J'aime la danse, la musique techno et j'aime bien cuisiner. J'ai une petite sœur, Magali, elle est à l'université. Téléphone-moi au 04 78 60 60 82 ou écris-moi à l'adresse suivante : judith.miller@infonet.fr

Page 43
Exercice 19
Singulier / pluriel
1. Il parle bien français.
2. Elles habitent à Paris.
3. Elle aime le couscous.
4. Ils ne comprennent pas.
5. Qu'est-ce qu'ils lisent ?
6. Elle dort mal.
7. Il s'appelle Jules.
8. Elles regardent la télévision.
9. Elles ont des lunettes.
10. Il travaille beaucoup.

Page 43
Exercice 20
Singulier / pluriel
1. Je m'appelle Jean, je suis belge. J'habite à Bruxelles, je suis traducteur. Je parle français, allemand, italien et espagnol. J'ai 25 ans. J'aime le cinéma et la musique.
2. Je m'appelle Jean, je suis français, j'habite à Bruxelles, je suis éditeur. Je parle bien sûr français, mais aussi anglais et espagnol. J'ai 25 ans, j'aime le cinéma.

Page 43
Exercice 23
Les nombres
1. J'habite 25 rue de Belleville.
2. Rendez-vous à 8 heures devant le cinéma, d'accord ?
3. Notre magasin ferme à 18 heures 30.
4. Ça coûte 7 euros.
5. Il est né le 14 juillet 2000.
6. Le cours commence à 8 heures 30 et se termine à 10 heures 30.
7. Voilà le code de la porte d'entrée. C'est le A 37 50.
8. J'ai 17 ans.

Page 44
Exercice 27
Les dates
1. 1789 ? La Révolution française !
2. 1901 ? Le premier prix Nobel.
3. 2000 ? La semaine de 35 heures en France.
4. 1969 ? La naissance d'Internet.
5. 321 ? Le dimanche est jour de fête officiel.
6. 508 ? Paris est la capitale des Francs.
7. 1000 ? La France a 8 millions d'habitants.
8. 1345 ? Les Aztèques construisent Tenochtitlan.
9. 1492 ? Léonard de Vinci a 40 ans.
10. 1681 ? Dom Pérignon produit le premier champagne.

Page 44
Exercice 29
À la radio
- Bonjour mademoiselle. C'est pour une émission à la radio. Vous avez 10 minutes ?

- Même plus, si vous voulez.
- Vous avez quel âge ?
- 18 ans.
- Vous habitez où ?
- Pourquoi ?
- C'est pour l'émission.
- Ah bon ! À Sarcelles.
- Chez vos parents ?
- Je ne réponds pas à cette question.
- Vous travaillez ? Qu'est-ce que vous faites ?
- Je suis serveuse.
- Ah bon ! Où est-ce que vous êtes serveuse ?
- Au café *Jacques Prévert.*
- Vous aimez quelle musique ?
- Le rock et le rap.
- Merci !
- Je vous en prie.

PARCOURS 2 : RÉAGIR, INTERAGIR

Séquence 5 : Moi, je...

Page 46
J'adore, je déteste
Dialogue témoin :
- Comment tu trouves cette robe ?
- Ouah ! elle est super !
1. - Cette année, je vais en vacances à Nouméa.
   - Nouméa ? Ah la plage, j'adore, c'est le paradis !
2. - On va au concert des Rolling Stones ?
   - Les Rolling Stones ? Je ne supporte pas le rock.
3. - Qu'est-ce qu'on mange ? Des saucisses - frites ?
   - Beurk, je déteste les saucisses !
4. - Tu connais le musée Picasso ?
   - Oui, il est superbe !
5. - Un week-end à Rome?
   - C'est génial !
6. - On prend le train ou la voiture ?
   - Le train, je déteste la voiture.

Page 47
J'aime un peu, beaucoup, passionnément
Dialogue témoin :
Il m'aime, un peu, beaucoup, passionnément, à la folie, pas du tout !
1. L'opéra ? C'est ma passion. Je connais tout Verdi.
2. Mon dessert préféré ? La glace au chocolat.
3. Je ne supporte pas Alex, et toi ?
4. Le dernier film de Vasseur ? Je déteste !
5. Je suis folle d'Edgar !
6. La prof de français ? Je l'adore.
7. J'aime tout : la musique classique, le jazz, le reggae, le rap...
8. - Ça te plaît, ton nouveau travail ?
   - Oh, ça va...
9. Jacques ? Oui, je l'apprécie beaucoup.
10. - On va manger un couscous, tu aimes ça ?
    - Bof... pourquoi pas ?

Page 47
Phonétique : intonation
1. Bof, ce n'est pas terrible...
2. Mais c'est génial !
3. Ah, non, ça non, c'est vraiment nul !
4. Beurk ! C'est vraiment pas bon...
5. Oh, ça oui ! ça, ça me plaît !
6. C'est super, ce truc !
7. Mais qu'est-ce qu'il est nul, ce film !
8. Excellent !
9. Ce n'est pas possible !
10. C'est fan-tas-tique !

Page 48
Des goûts et des couleurs
Dialogue témoin :
Ce qu'on fait en décembre ? Tu nous connais ! On n'aime pas du tout le bruit, la foule... alors...
1. - Qu'est- ce que vous faites au mois d'août ?
   - Pierre, lui, préfère la mer, et moi, la montagne.
   - Alors ?
   - On a trouvé ! Devine...
2. - Vous allez à la mer ou à la montagne ?
   - Marc et moi, on aime beaucoup la mer.
3. - Avec Jean-Paul, on rêve depuis des années de connaître vraiment notre pays.
   - Alors ?
   - Alors, en juillet, on va visiter les châteaux de la Loire.
4. - Qu'est-ce que vous faites en juillet ?
   - Tu sais, on adore le théâtre ! Alors, en juillet...

Page 49
Critiques
1. - Comment tu le trouves, ce film ?
   - C'est un film superbe. Quelle leçon sur la vie !
2. - Qu'est-ce que tu penses de cette pièce de théâtre ?
   - Je la trouve très, très chouette. Ce n'est pas vraiment une pièce...
   - Ah bon... c'est quoi ?
   - C'est plutôt une conversation poétique.
3. - Tu la connais, cette actrice ?
   - Oui, elle joue très bien, et en plus, elle chante.

Page 50
Sympa !
1. - Je trouve Pedro sympathique, et toi ?
   - Oui, sympa, et drôle aussi.
2. - Quelle est votre principale qualité ?
   - Je suis intelligent.
   - Et votre principal défaut ?
   - Je suis généreux.
   - Hmmm, vous êtes modeste aussi !
3. - Qu'est-ce que tu penses de Paul ?
   - Paul ? Il est égoïste et désagréable.
   - Et ben !
4. - Il est bien, l'appartement de Claire ?
   - Génial, et en plein centre-ville !
5. - Ce que c'est moche ici !
   - Tu n'aimes pas ce restaurant ?

- Non, il n'est vraiment pas beau. La serveuse, elle, est agréable.
6. - Quelles fleurs ravissantes !
   - Ça vous plaît ?
   - Oui, beaucoup.
7. T'as d'beaux yeux, tu sais...

Page 50
Moi, je suis...
- Mademoiselle ! Bonjour, vous avez deux minutes ? c'est un sondage sur les sports et les vacances des Français.
- D'accord, mais deux minutes, seulement.
- D'abord, quelle est votre profession ?
- Je suis esthéticienne.
- Et vous avez quel âge ?
- 25 ans.
- Vous habitez à Paris ?
- Non, à Trouville.
- Où êtes-vous allée, cet été ?
- En Islande, vous connaissez ? C'est impressionnant.
- Vous êtes partie seule ? avec des amis ?
- Non, non, avec mon cousin.
- Quel sport pratiquez-vous ?
- Le parapente.

Séquence 6 : Renseignements

Page 51
Pardon ?
Dialogue témoin :
- S'il vous plaît, monsieur, vous avez l'heure ?
- Il est midi et demi.
1. - Allô ? Bonjour, est-ce que je pourrais parler à Michel ?
   - Bien sûr, je vous le passe !
2. - Est-ce que je peux avoir un poulet rôti ?
   - Ah, désolé, ils sont tous vendus !
3. - On peut déjeuner ?
   - Désolé, vous avez vu l'heure ? Le chef est parti, la cuisine est fermée.
4. - Pour aller à la gare de Lyon, s'il vous plaît ?
   - Pardon ? Excusez-moi mais je ne suis pas d'ici.

Page 52
Les courses
1. - Bonjour, je voudrais des œufs et de la crème fraîche, s'il vous plaît.
   - Voilà. C'est tout ?
   - Ah, non, un litre de lait aussi.
2. - Et pour monsieur ?
   - Deux citrons, un kilo d'oignons, un kilo de tomates et cinq cents grammes de champignons.
   - Voilà.
   - Merci.
3. - Madame ?
   - Trois steaks bien tendres, s'il vous plaît et trois tranches de jambon.
4. *Le Monde,* s'il vous plaît et *Paris Match.*
5. - Une baguette et un gâteau au chocolat.
   - Voilà.
   - Merci !

Page 52
Phonétique : [b] / [v]
1. C'est un bon plan.
2. C'est un vieux village.

3. À tout à l'heure, au bar.
4. Tu viens ?
5. C'est à vous ?
6. C'est très bien.
7. C'est à Brigitte ?
8. C'est sa voiture.
9. Une baguette !
10. Qu'est-ce que vous voulez ?

Page 53
Demander
Dialogue témoin :
- Est-ce que vous pourriez m'aider à porter ma valise ?
- Mais oui, pas de problème !
1. - J'aimerais passer trois jours à Prague. Qu'est-ce que vous avez à me proposer ?
  - Eh bien, nous avons une formule avec le départ vendredi matin et le retour, dimanche soir.
2. - Allô, c'est Jacques ? Est-ce que tu peux aller chercher Juliette à la sortie de l'école ?
  - Pas de problème. Elle sort à quelle heure ?
3. - Je voudrais deux pains au chocolat et deux croissants.
  - Désolé, nous n'avons plus de pain au chocolat.
4. - Est-ce que vous auriez de la monnaie ? C'est pour la machine à café.
  - Oui, attendez, je regarde. J'ai deux pièces de cinq francs, ça va ?
  - Oui, merci…

Page 54
Passe-moi le sel !
1. a) Allez, cherche Rex, cherche !
  b) Rex, est-ce que tu peux chercher ?
2. a) Vous pourriez me dire où est la gare ?
  b) Dites-moi où est la gare !
3. a) Donnez-moi dix francs !
  b) Vous n'auriez pas dix francs ?
4. a) Arrête, il y a un feu rouge !
  b) S'il te plaît, est-ce que tu peux arrêter ? Il y a un feu rouge.
5. a) Appelez monsieur Dujardin !
  b) S'il vous plaît, vous pouvez appeler monsieur Dujardin ?
6. a) L'addition !
  b) L'addition, s'il vous plaît !
7. a) Julie, range ta chambre !
  b) S'il te plaît, est-ce que tu peux ranger ta chambre ?
8. a) S'il vous plaît, est-ce que vous pourriez répéter ?
  b) Répétez !

Page 55
S.O.S.
Dialogue témoin :
- Vous êtes bien chez *Pizzaïolo*, laissez votre message !
- Bonjour, je voudrais une pizza margarita pour quatre personnes, s'il vous plaît. Pour 8 heures et demie. C'est madame Berthier, au 26 rue de la Pompe, dans le 16e, le code est A 56 48, 4e étage à gauche. Merci.
1. Ici S.O.S. plombier. Indiquez votre nom, votre numéro de téléphone et laissez votre message.
2. Vous êtes sur le répondeur du docteur Cary, dentiste. Laissez-moi votre message.

3. Vous êtes bien à la clinique des animaux. Je suis absent mais vous pouvez laisser un message. Indiquez votre numéro de téléphone et votre adresse.
4. Ici la société *Dépanne-tout*. Nous sommes occupés, laissez votre message, nous allons vous rappeler.

Page 56
Vos mains ont la parole
1. Je peux avoir un petit peu de lait dans mon café ?
2. Viens voir !
3. Ça va pas, la tête ?
4. S'il vous plaît ? Trois cafés !
5. Là, je ne te crois pas !
6. Il n'en est pas question !

Page 56
Répondez !
1. - Voilà, je voudrais réserver une place pour Lisbonne le vendredi 13, s'il vous plaît.
  - Attendez, je vais vérifier.
2. - Allô, bonjour, je voudrais un renseignement concernant un livre.
  - Je vous écoute.
  - Qu'est-ce que vous avez comme livres pour enfants ?
  - Attendez, je vais voir…

Séquence 7 : Anticipation / reprise

Page 57
Vous avez passé un bon week-end ?
Dialogue témoin :
- Tu as passé un bon week-end ?
- Oui, on est allé chez des amis près de Tours. On a visité le château de Chenonceaux.
1. Moi, j'ai passé le week-end en famille. Je suis allé chez mes parents près de Dijon. On a passé la journée à table. J'ai pris au moins deux kilos.
2. Un bon week-end ? Tu parles. Le week-end, je l'ai passé devant mon ordinateur. J'ai terminé mon rapport sur la semaine de 35 heures !
3. Moi, j'ai passé un week-end tranquille. J'ai dormi jusqu'à midi, j'ai lu, regardé un film à la télé.

Page 58
Itinéraire sonore
1. *Le Monde*, s'il vous plaît !
2. Un café et un croissant.
3. - Salut Pierre !
  - Claude ! Comment ça va ?
4. Une salade et un kilo de tomates !
5. …
6. Taxi !
7. …
8. Je voudrais un bouquet de roses.
9. Bonjour Lucie ! Bon anniversaire !

Page 60
Histoire d'un objet
Dialogue témoin :
- Je voudrais un pull-over.
- Quel genre de pull-over ?
- Je ne sais pas.
- Venez, je vais vous montrer.

1. - Je peux essayer ce pull-over ?
  - Lequel ?
  - Le rose.
2. - Au revoir, madame Martin !
  - Vous la connaissez ?
  - Oui, c'est une bonne cliente !
3. - Qu'est-ce que tu as acheté ?
  - Un pull-over. Regarde.
4. - Tu l'as acheté où, ton pull-over ?
  - À Mode 2000.
5. - C'est qui, cette dame ?
  - La fille au pull-over rose ? C'est Françoise Martin, mon prof de français.

Page 61
Exercice : singulier / pluriel
1. Il vit en France.
2. Elle travaille beaucoup.
3. Ils arrivent bientôt.
4. Elles viennent souvent ici ?
5. Ils sortent à 6 heures.
6. Ils apprennent vite.
7. Qu'est-ce qu'elles disent ?
8. Elles chantent bien.
9. Ils prennent des vacances ?
10. Ils cherchent du travail.

Page 62
Phonétique : [ʃ] / [ʒ] / [z]
1. Tu l'as bouché ?
2. Garçon ! Une bière fraîche !
3. Qu'est-ce qu'il fait, Jo ?
4. J'aime bien les œufs.
5. Quelle belle roche !
6. Elle est au chaud.
7. J'aime beaucoup les bisous.
8. Ces gens sont merveilleux.

Séquence 8 : D'accord ? pas d'accord ?

Page 63
Propositions en tous genres
Dialogue témoin :
- Je peux vous aider ?
- Volontiers ! Attention, elle est très lourde !
1. - Tu as des projets pour les vacances de Pâques ?
  - Non, pas encore.
  - Tu connais la Grèce ?
  - Non.
  - Alors, voilà ce que je te propose…
2. - Il est nul, ce film !
  - On éteint la télé et on va se coucher ?
3. - Qu'est-ce que tu fais ce soir ?
  - Rien de spécial.
  - Ça te dirait de manger des huîtres ?
  - Oh oui, j'adore ça !
4. Il est dix heures et demie. On a bien travaillé. Je vous propose de faire une petite pause-café. On se retrouve à onze heures ?

Page 65
Avec plaisir !
Dialogue témoin :
- Tu viens avec moi chez Marcel ce soir ? C'est son anniversaire.
- Ah non, pas question, j'ai du travail !
1. - Un peu de vin, Julien ?
  - Non, merci.
2. - Vous voulez un café ?
  - Oui, volontiers, avec un sucre, s'il vous plaît.

3. - On sort, ce soir ?
   - Avec plaisir !
4. - Tu veux habiter avec moi en banlieue ?
   - Certainement pas, j'aime le centre-ville.
5. - Rendez-vous au *Café de l'Odéon*, d'accord ?
   - OK.
6. - Du fromage, Juliette ?
   - Merci, sans façon.
7. - Je vais à la piscine, tu viens ?
   - OK, j'arrive !
8. - On va à la campagne, dimanche ? Marcel a une grande maison.
   - Oui, d'accord !
9. - Est-ce que tu veux que je te prête ma voiture ?
   - Non, merci, ça va.
10.- On sort avec Juliette ce soir ?
   - Ah non, pas Juliette, je préfère Josette !

Page 66
Post-it
1. Appelez-le. Dites-lui que je ne suis pas en France ou que je suis malade, trouvez une excuse !
2. Appelez-la. Dites que c'est d'accord pour ce soir. Donnez-lui un rendez-vous devant la salle de concert.
3. Appelez-la et dites-lui que je ne peux pas à 8 h. À 8 h, je dors ! Donnez-lui un rendez-vous à partir de 9 h.
4. Appelez son secrétariat. Dites que ce soir, je ne suis pas libre, trouvez une excuse !

Page 66
Exercice : le conditionnel
1. On va déjeuner chez les Martin ?
2. On pourrait aller chez les Martin, qu'est-ce que tu en penses ?
3. Ça te dirait de faire une ballade ce week-end ?
4. Qu'est-ce que tu fais demain ? Tu ne veux pas aller avec moi chez Carole ?
5. Michel est malade. On lui téléphone ?
6. On pourrait passer chez Michel, il est malade.
7. Je prendrais bien un petit café, je suis fatiguée.
8. J'ai envie d'aller en Grèce à Noël, pas toi ?
9. Tu n'as pas envie de sortir ? Regarde le beau soleil !
10. Tu ne voudrais pas m'aider, s'il te plaît ? C'est difficile.

Page 66
Exercice : le refus
1. - Vous dansez, mademoiselle ?
   - Pas tout de suite, merci.
2. - Tu viens avec moi chez Marcel ?
   - Je ne peux pas, j'ai du travail.
3. - Tu peux passer à la maison, ce soir ?
   - Ce soir, impossible, mais demain, pas de problème.
4. - Vous voulez une coupe de champagne ?
   - Non, merci.
5. - On pourrait aller revoir *Titanic* ?
   - Ah non, je trouve ce film nul !

6. - Tu peux m'aider à déménager dimanche ?
   - Désolé, je n'ai pas le temps.
7. - Un peu de café ?
   - Jamais le soir.

Page 67
Jour de fête
1. Allô, Zora ? c'est super ! Je ne travaille pas mardi, j'apporte du champagne !
2. Allô, Zora ? Tu sais, j'adore Michel, mais explique-lui que je ne suis pas libre mardi, d'accord ?
3. Allô, Zora ? Ce n'est pas possible mardi, Chloé veut travailler son examen avec moi. Embrasse Michel pour moi.
4. Zora ? c'est moi ! Alors, il aime le champagne, Michel ?
5. Allô? Écoute, je ne peux pas mardi, Bruno veut qu'on travaille ! Embrasse Michel, d'accord ?
6. Allô, Zora ? Je ne peux pas venir mardi, à cause du congrès de Nice, désolé !

PAGE 69
Évaluation : compréhension orale
- Alors, avec qui on part en vacances, cet été ?
- Pas avec Marc et Catherine, en tout cas ! Ils ne sont vraiment pas sympas ! Ils ne veulent jamais payer l'addition ! Je n'ai jamais vu des gens aussi égoïstes !
- Oui, c'est vrai, mais ils ont des qualités…
- Ah oui, quelles qualités ? Je n'ai pas remarqué…
- Ils sont drôles, ils ont beaucoup d'humour…
- Bof… Pourquoi on ne partirait pas avec Bruno et Sidonie ?
- Oui. J'adore Bruno, et j'aime bien Sido, mais elle est souvent désagréable le matin. Bruno, lui, il est tout le temps agréable.
- Oui… Et Léa, qu'est-ce que tu en penses ?
- Léa ? Elle est sympa, gentille, agréable, intelligente aussi, et puis elle est jolie comme un cœur.
- Bon, ben je crois qu'on va partir avec Bruno et Sido alors…

Exercices complémentaires

Page 71
Exercice 5
Phonétique : [i] / [y]
1. C'est la vie.
2. Quel rhume !
3. Ce n'est pas pire !
4. Tu l'as su ?
5. Elle l'a lu.
6. Il est timide.
7. C'était cru.
8. Bonjour, Gilles !

Page 72
Exercice 12
Du, de la, de l', des
- Joli, ce restaurant ! Passe-moi la

carte. Voyons… Qu'est-ce que tu prends Charlotte ?
- Ben, tu sais, je suis végétarienne, il y a quelque chose pour moi ?
- Oui, des crudités et des tomates à la provençale.
- Parfait pour moi. Et toi, Julie ?
- Moi, j'adore la viande, alors foie gras et entrecôte.
- Bien, et toi, Charles ?
- Pour moi, des huîtres et du poisson.
- Bon appétit !

Page 72
Exercice 13
L'impératif
1. Est-ce que tu peux me passer le sel ?
2. Va à la boulangerie !
3. Je voudrais deux croissants, s'il vous plaît.
4. Donnez-moi un kilo de tomates.
5. On pourrait avoir deux cafés, un thé et un chocolat chaud, s'il vous plaît ?
6. Passe-moi le pain.
7. Parlez lentement, je n'ai pas compris !
8. Répétez, s'il vous plaît !
9. Est-ce que tu peux m'acheter de l'aspirine ? J'ai mal à la tête.
10. Donne-moi la main pour traverser.

Page 72
Exercice 14
Être et *avoir*
1. Elle a mangé une glace.
2. Elles ont acheté des chaussures.
3. Elles sont parties à 8 heures.
4. Il est allé au cinéma mardi soir.
5. On a vu *Tarzan* à la télé.
6. Maman, on est arrivé !
7. Tu as téléphoné au bureau ?
8. Ils ont trois enfants.
9. Vous êtes allés au théâtre ?
10. J'ai beaucoup aimé ce film.

Page 74
Exercice 20
L'infinitif
1. Tiens, Marcel ! Comment vas-tu ?
2. Vous avez compris ?
3. Où est-ce que vous allez ?
4. Tu veux un chocolat ?
5. Pardon, vous avez l'heure ?
6. Nous sommes contents pour vous !
7. Qu'est-ce que tu fais ?
8. Ils n'ont pas d'enfant.
9. Vous nous appelez comment ?
10. Elles ont bien travaillé.
11. Vous connaissez ma sœur ?
12. Tu peux me passer le sel ?

Page 74
Exercice 21
Phonétique : [ə] / [e]
1. J'ai lu les livres au programme.
2. J'aime le bleu.
3. Bonjour, monsieur.
4. J'ai mangé à midi.
5. Je voudrais des kiwis.
6. Je te manque ?
7. Je vais manger à midi.
8. Il n'y a pas de feu.
9. Je peux le comprendre.
10. Il est énervé.

Page 74

Exercice 23

Présent / passé composé

1. Il part jeudi.
2. Avez-vous compris ?
3. J'ai passé un super week-end.
4. Il est parti jeudi.
5. Vous allez bien ?
6. Sophie est malade.
7. Vous êtes allés au festival de Cannes ?
8. Vous avez bien dormi ?
9. Mireille est malade.
10. Je ne comprends pas.

PARCOURS 3 : PARLER DE SOI ET DE SON VÉCU

Séquence 9 : Hier et aujourd'hui

Page 76

Vous avez un problème ?

Dialogue témoin :

- Voilà, j'ai perdu mon téléphone portable dans un taxi…
- Vous avez son numéro de série ?
- Oui. C'est le 33 00 75 71 67 83.
1. - Mes enfants ont disparu ! Vous pouvez faire une annonce ?
   - Ils s'appellent comment ?
   - Pierre et Corinne Marchand.
   - Votre attention, s'il vous plaît. Le papa et la maman de Pierre et Corinne Marchand les attendent à l'entrée du magasin.
2. Voilà, je suis venu hier à la séance de 17 heures et j'ai oublié une écharpe rouge…
3. - J'ai raté le train de 17 h 24 pour Paris. Est-ce qu'il y a un autre train ?
   - Oui, à 19 h 28, arrivée 20 h 58. Vous pouvez me donner votre billet ?
4. - Voilà, j'ai eu un petit accident. Je suis au kilomètre 224. Est-ce que vous pourriez venir me dépanner ?
   - Pas de problème, j'arrive dans un quart d'heure.

Page 77

Phonétique : [f] / [v]

1. C'est en verre.
2. Ce n'est pas frais.
3. Elles sont neuf.
4. Faites un vœu !
5. Je n'ai pas de fils.
6. Tu connais Séville ?

Page 78

Passé / présent

Dialogue témoin :

- Qu'est-ce que tu as fait, hier soir ?
- J'ai essayé de réparer la télé…
1. Qu'est-ce que tu as fait, dimanche ?
2. Vous allez bien ?
3. Mmm ! On mange bien dans ce restaurant !
4. Zut ! J'ai oublié d'acheter le journal !

5. Vous avez compris ?
6. Elle a eu combien d'enfants ?
7. Jean-Marc est arrivé hier.
8. J'ai rencontré Marie au marché.
9. J'ai fini mon travail.
10. Il est malade, il a de la fièvre.
11. J'ai laissé mes bagages dans le train.
12. Elle a combien d'enfants ?
13. Tu as bien mangé ?
14. Le train part à quelle heure ?

Page 78

Exercice : les indicateurs de temps

1. Je suis allé au marché, ce matin.
2. J'ai rendez-vous chez le médecin après-demain.
3. On se voit, ce soir, à 19 heures ?
4. Qu'est-ce que tu fais cet après-midi ?
5. J'ai déjeuné avec Magali la semaine dernière.
6. On travaille ensemble, jeudi prochain ?
7. On part en vacances dans trois jours.
8. Il a fait très beau aujourd'hui.
9. Il a téléphoné il y a dix minutes.
10. Elle est passée hier.
11. Ta mère arrive demain ?
12. Cet après-midi, je suis allé au cinéma.

Page 78

Exercice : participe passé en u

1. J'ai attendu Magali pendant deux heures.
2. Elle n'a pas pu venir.
3. Tu as répondu à ta mère ?
4. Je l'ai connu au Sénégal.
5. Elle a eu cinq enfants.
6. Tu n'as pas vu Marie ?
7. J'ai lu un livre très intéressant.
8. Non merci, j'ai déjà bu un café.
9. J'ai reçu une lettre de Chine.
10. Il n'a pas voulu manger.

Page 79

C'est fait ?

Dialogue témoin :

- Tu as réservé des places pour le théâtre ?
- Oui, deux places pour vendredi, ça va ?
1. - François a appelé ce matin, tu l'as rappelé ?
   - Désolé ! J'ai oublié !
2. - Tu es passé au pressing ?
   - Il était fermé.
3. - Tu as écrit à Marie pour son anniversaire ?
   - Zut ! Je vais lui écrire ce soir.
4. - Tu as réservé les billets de train ?
   - C'est fait, on part lundi à 11 h 30.
5. - Tu as payé la facture du téléphone ?
   - Elle est où, la facture ?
6. - Tu es passé à la poste ?
   - Je suis arrivé trop tard.
7. - Tu as téléphoné au docteur Girard ?
   - J'ai rendez-vous lundi, à 18 heures.

Page 80

Participe passé avec être

Dialogue témoin :

Vous êtes sûr qu'il est mort ?
1. - Il est où, papa ?
   - Il est monté sur le toit réparer l'antenne.

2. - Il est descendu du toit, papa ?
   - Je ne sais pas, je vais voir.
3. - Qu'est-ce qui t'es arrivé ?
   - Je suis tombé du toit.
4. Maman, devine où je suis allée aujourd'hui.
5. - Je crois que je suis resté un peu trop longtemps au soleil !
6. - Qu'est-ce qu'il est devenu, Pierre Legrand ?
   - Il travaille à la télé.
   - Il a de la chance !
7. - Vous vous appelez comment ?
   - Noël Sapin.
   - Et vous êtes né quand ?
   - Le 25 décembre 1978.
8. - Allô ? c'est maman. Ça va les enfants ? Tout se passe bien ?
   - Heu… les enfants de la voisine sont venus et on a fait des crêpes.
9. - Allô ? c'est encore maman. J'arrive dans une heure. Vous ne faites pas de bêtises, j'espère !
   - Non.
   - Les enfants de la voisine sont encore là ?
   - Non, ils sont partis.
   - Qu'est-ce que vous faites ?
   - De la peinture.
10. - Je voudrais parler à monsieur Leduc, le directeur, de la part de Marc Forestier…
    - Il est sorti il y a une demi-heure…
11. - Allô ? c'est encore Marc Forestier. Est-ce que monsieur Leduc est rentré ?
    - Oui, ne quittez pas, je vous le passe.
12. - Franck ! Franck ! Mais où est-ce qu'il est passé ? Excusez-moi, madame, vous n'avez pas vu un petit garçon avec des lunettes et un manteau bleu ?

Séquence 10 : Histoires

Page 83

Alors, raconte !

Dialogue témoin :

- Alors, ce stage de plongée, c'était bien ?
- Génial ! La mer était chaude et il y avait des garçons très sympas.
1. - Qu'est-ce que tu as fait ce week-end ?
   - Je suis allé à Deauville avec des copains.
   - C'était bien ?
   - Oui, il faisait beau, mais il y avait du vent. Il n'y avait pas beaucoup de monde sur les plages.
2. - C'était comment la fête chez Amélie ?
   - C'était très sympa.
   - Il y avait beaucoup de monde ?
   - Une vingtaine de personnes. Il faisait beau, alors on a fait un barbecue sur la terrasse. On s'est bien amusé !
3. - Alors, ça s'est bien passé ce voyage ?
   - Ah non, ne m'en parle pas ! Il y avait des embouteillage, en plus il pleuvait. J'ai passé dix heures sur l'autoroute. L'enfer !

Page 84

C'était comment ?

Dialogue témoin :

- Tu as aimé ce film ?
- Oh oui ! je l'ai trouvé super ! C'est normal, il y avait mon acteur préféré !

1. - Tu étais où ? Je t'ai cherchée partout !
   - À la cafétéria !
2. - Je vous félicite pour votre conférence. C'était passionnant.
   - Merci.
3. - Pourquoi est-ce que tu es sortie avant la fin ?
   - Il faisait trop chaud !
4. - Quel est votre meilleur souvenir ?
   - C'était en 1992. J'ai rencontré Chloé qui est maintenant ma femme.
5. - Ça fait longtemps qu'on ne t'a pas vu !
   - J'avais du travail.
6. - Alors, comment ça s'est passé votre conférence ?
   - Très bien. Il y avait beaucoup de monde.
7. - Pourquoi est-ce que tu n'es pas venu à la réunion de mardi ?
   - J'étais malade.

Page 84

Exercice : imparfait / passé composé

1. Elle avait les yeux verts.
2. Je suis allé à la poste.
3. L'appartement était vraiment trop petit.
4. Il est parti à 8 heures.
5. Il portait des lunettes.
6. Excuse-moi pour hier, j'étais vraiment fatigué.
7. J'ai téléphoné à François.
8. Il y avait du soleil.
9. Moi, j'ai aimé ce film.
10. Tu as téléphoné à Pierre, hier ? ·

Page 85

Toujours une bonne excuse !

Dialogue témoin :

- Alors, encore en retard, monsieur Legrand ! Il est 10 heures. Je vous signale que vous commencez votre travail à 9 heures !
- Ce n'est pas ma faute, il y avait une manifestation d'étudiants.
- Une manifestation d'étudiants ! Au mois de juillet !

1. Alors, monsieur Legrand ! Nous vous attendons depuis plus d'une heure. Votre réveil n'a pas sonné ?
2. - Excusez-moi pour hier, mais...
   - Nous avions rendez-vous à 15 heures pour la signature du contrat. Vous avez sans doute une bonne excuse ?
3. Vous avez été absent pendant une semaine. Ce n'est pas comme ça que vous allez terminer votre rapport !
4. Alors, monsieur Legrand, hier vous n'êtes pas venu au bureau. Votre grand-mère est sans doute morte pour la quatrième fois consécutive ou votre fille a attrapé une nouvelle fois la varicelle ?

Page 86

Des vacances formidables !

Dialogue témoin :

- Salut, Jean-Louis. Alors, ça se passe bien, tes vacances ?
- Non, c'est la catastrophe. Pour voir la mer, il faut monter sur une chaise et regarder par la fenêtre de la salle de bains. L'électricité ne fonctionne pas dans le salon, il y a un seul lit tout petit, c'est bruyant, les voisins font la fête toute la nuit, le frigo est en panne, le téléphone est coupé. Heureusement, j'ai mon portable et le jardin est minuscule. En plus, il fait très chaud, mais bien entendu, la climatisation ne marche pas.
- Vous n'avez vraiment pas de chance ! Tu as téléphoné au propriétaire ?
- Oui, mais il est en vacances jusqu'à la fin août.

Page 87

Phonétique : phonie / graphie du son [ɛ] en finale

1. Je vis en paix.
2. Ce n'est pas vrai.
3. Il fait très beau.
4. Tu as de la monnaie ?
5. Tu veux du lait ?
6. Tu connais la forêt de Fontainebleau ?
7. C'est complet.
8. J'habite près d'ici.
9. Je voudrais un ticket de métro.
10. En mai, fais ce qu'il te plaît.

Page 88

Quelques faits et dates qui ont marqué la France de 1950 à 2000

1. Moi, quand j'avais 20 ans, je n'étais pas majeur. Quand la majorité est passée à 18 ans, c'était trop tard pour moi, j'avais 22 ans.
2. Moi, quand j'avais 20 ans, il n'y avait pas d'ordinateurs, pas d'Internet. Ma première voiture ? Je l'ai eue à 22 ans. C'était une Renault 5.
3. J'ai découvert l'informatique à 20 ans. C'était très récent. Mon ordinateur n'avait que 16 couleurs et était très lent. Internet n'existait pas encore.
4. Moi, je suis encore au lycée. J'ai un téléphone portable, un ordinateur et je me connecte tous les jours sur Internet.
5. Moi, à 20 ans, j'étais dans la rue, avec les étudiants. Depuis, beaucoup de choses ont changé en France.
6. Mes 20 ans ? C'est l'année où j'ai voté pour la première fois. J'ai voté François Mitterrand mais mon père a voté Valéry Giscard d'Estaing.
7. Vous voulez savoir mon âge ? Je suis né l'année où est née la cinquième République. Alors, calculez !

Page 89

20 ans après

Dialogue témoin :

- Tu te souviens de madame Simon, notre prof de maths ?
- Oui, mais ce n'est pas un bon souvenir. J'étais nulle en maths. Elle est là ?
- C'est la vieille dame à lunettes qui prend une photo.

1. - Qui c'est, la petite blonde ?
   - Ben c'est Mireille. Elle s'est mariée avec Fernand Mathieu.
   - Mireille ? Mais elle était brune avant.
   - Eh oui, mais Fernand préfère les blondes, alors...
2. - Et le garçon, là, qui a les cheveux courts, c'est Bruno ?
   - Non, c'est Antoine.
   - Antoine ? Mais, il avait les cheveux longs, Antoine.
   - Tu sais, maintenant, il travaille dans une banque, alors...
3. - Et là, cette fille qui est à côté de la fenêtre, c'est qui ?
   - Comment ! Tu ne la reconnais pas ? Mais c'est Vanessa. C'était ta meilleure amie !
   - Mais elle avait les cheveux très longs et elle ressemblait à un mannequin !
   - Eh oui, tu vois, elle a les cheveux courts aujourd'hui et elle a un peu grossi.
4. - Dis donc, qui c'est le beau blond qui est tout bronzé ?
   - C'est mon mari.
   - Ton mari ? Mais Pierre était petit et brun, avec des lunettes.
   - Pierre, c'était mon premier mari...
5. - C'est qui, là, près du buffet, l'homme qui mange ? Je crois que je le connais.
   - C'est Michel. Il aimait les cravates avec des dessins d'éléphants, il n'a pas changé.
   - Non ! Comme tu vois, il a toujours mauvais goût.

Page 91

Totalement négatif

Dialogue témoin :

- Il est vraiment bizarre, ce garçon. Il ne sourit jamais, il n'aime pas les plaisanteries, il n'a pas d'amis, il ne prend jamais de jour de congé, il n'invite jamais les collègues à boire un café. Depuis une semaine, il ne parle plus, il ne lit plus le courrier, quand on lui pose une question, il ne répond rien.
- C'est normal, il est nouveau ici, il ne connaît personne, il n'a plus de contact. Il n'est pas heureux. Je vais faire une petite fête à la maison et on l'invite !

1. Elle n'est pas contente.
2. Il n'a jamais le temps.
3. Il n'y a plus de courrier ?
4. Il ne travaille plus. Il est à la retraite.
5. Je ne connais personne à Madrid.
6. Je ne mange jamais de porc.
7. Je ne prends plus le métro.

8. Je ne suis jamais allée en France.
9. Nous n'aimons pas le bruit.
10. Tu ne manges rien ?
11. Vous n'avez pas de chance !

Page 92
Points communs
- Bonjour, je m'appelle Xavier.
- Moi, Marlène. Tu habites où ?
- Strasbourg.
- Je ne connais pas Strasbourg, c'est grand ?
- Oui, c'est assez grand.
- Moi, j'habite dans une petite ville, à Arles, près de Marseille.
- Qu'est-ce qui t'intéresse dans la vie ?
- Ben, j'aime bien le cinéma.
- Moi aussi.
- J'aime bien lire.
- Moi non, mais j'aime la danse.
- Ah ! moi aussi. Et le théâtre, tu aimes ?
- Non, pas trop.
- Moi non plus.
- Tu fais du sport ?
- Ah oui ! je suis très sportive ! Je fais de la natation trois fois par semaine.
- Ah ! c'est extraordinaire, moi aussi, je fais de la natation ! Mais j'aime bien le foot aussi.
- Oh ben moi, non !
- Qu'est-ce que tu aimes, comme musique ?
- Oh moi, je suis plutôt classique.
- Moi non, j'aime bien le rap.
- Tu aimes bien voyager ?
- Non, pas trop.
- Moi si ! Je suis allée en Grèce, au Portugal, au Maroc…
- Tu parles beaucoup de langues étrangères ?
- Je parle anglais, espagnol, un peu de portugais.
- Moi, je parle anglais, mais pas très bien. Je suis jamais allé en Grèce, mais j'aime bien la cuisine grecque, la moussaka…
- Moi aussi !
- Elle est jolie, ta robe bleue !
- Le bleu, c'est ma couleur préférée !
- Moi, c'est le jaune ! Bon, si on allait au resto continuer cette conversation ?
- OK !

Page 94
Vous pouvez laisser un message ?
Dialogue témoin :
- Bonjour, mademoiselle, je voudrais parler au docteur Bazin.
- Il n'est pas là, mais vous pouvez laisser un message.
- Voilà. Pouvez-vous dire au docteur que madame Petit a appelé ? Je voudrais un rendez-vous mercredi 10, à 14 heures. Il pourrait confirmer le rendez-vous ? Je suis à la maison. Il peut me joindre au 04 78 65 43 89.
1. - Bonjour, monsieur. Je voudrais parler à Juliette.
   - Elle n'est pas là.
   - Je peux laisser un message ?
   - Bien sûr.
   - C'est de la part de Bruno. Dites à Juliette que je ne peux pas venir au rendez-vous ce soir, je dois partir à Marseille. Je lui téléphone demain.

2. - Allô, Pierre ? c'est Bruno. Marie est là ?
   - Non, tu veux laisser un message ?
   - Oui, dis-lui que, si elle veut, on peut aller au cinéma ce soir.
   - Et si elle ne veut pas ?
   - Insiste…

Page 95
La lettre de Géraldine
Dialogue témoin :
- Tiens, il y a une lettre de Géraldine.
- Qu'est-ce qu'elle dit ?
- Que tout va bien. Elle dit que son travail à Montpellier est très intéressant. Elle demande quand on va lui rendre visite. Elle dit aussi qu'elle a rendu visite à l'oncle Nestor, qu'il est encore en pleine forme à 75 ans.
- C'est tout ?
- Non. Elle dit qu'elle a trouvé une petite maison dans la banlieue de Montpellier, qu'elle a un grand jardin. Elle dit qu'elle est contente de vivre dans le Sud, que ça la change de Paris.
- Elle a de la chance !
- Elle demande si on a vu Bernard récemment parce qu'elle n'a pas reçu de nouvelles depuis qu'il a déménagé. Elle nous demande sa nouvelle adresse parce qu'elle a perdu son carnet d'adresses. Elle fait de grosses bises à toute la famille.

Séquence 12 : Aujourd'hui et demain

Page 97
Faites de la musique
Dialogue témoin :
- On est quel jour, aujourd'hui ?
- Le mercredi 20 juin, et demain, c'est la fête de la Musique !
1. - C'est quand, l'anniversaire de David ?
   - Après-demain, le 22.
2. - On va au restaurant, samedi ?
   - Si tu veux. C'est quel jour ?
   - Le 23.
   - Pas de problème !
3. Qu'est-ce qu'il y a, mercredi prochain, au Max Linder ?
4. - Allô, bonjour ! c'est pour un rendez-vous pour demain.
   - Demain, impossible. Je vous propose la semaine prochaine. Le mardi 26 juin, ça vous va ?
   - Oui, d'accord.
5. Bientôt juillet… dans dix jours on est en vacances.
6. - On va où, demain soir ?
   - Au bord du canal Saint Martin. Il y a un bon groupe de rock.

Page 98
Quand est-ce qu'on se voit ?
Dialogue témoin :
- On peut se voir tout de suite ?
- Oui, dans dix minutes à la cafétéria.
1. - Allô ? Marcel ? Tu peux passer tout de suite à la maison ? Carole est malade.
   - Ah, non ! tout de suite, je ne peux pas. La semaine prochaine ?
   - Non ! Écoute Marcel, elle est vrai-

ment malade. Viens tout de suite !
   - Bon, je vais venir, mais pas tout de suite, tout à l'heure.
2. À votre droite, le quartier de l'Opéra. Aujourd'hui, nous allons visiter l'opéra Garnier. À Paris, il y a deux opéras. Demain, nous allons à l'opéra Bastille.
3. Lundi, je suis à Lisbonne pour un congrès. Dans quinze jours, je pars au Cap Vert et à Pâques, au Brésil. Ils parlent tous portugais.
4. C'est bientôt fini, ce bruit ?
5. À table dans un quart d'heure ! Éteignez la télé !
6. - Tu viens à Paris l'année prochaine ?
   - Oui, dans un an, je suis parisien !

Page 99
Avenir
1. Vous ferez une rencontre très importante pour vous. Il y aura des changements au niveau professionnel. Vous voyagerez. Côté santé, tout va bien. Vous serez en pleine forme.
2. Demain, beau temps sur toute la France. Le soleil brillera du Nord au Sud et de l'Est à l'Ouest. Les températures seront comprises entre 20 et 25°C.
3. Nous partirons de Paris à 7 h 30 précises. Nous arriverons à Chenonceaux à 9 h 30. Nous visiterons le château de 10 heures à midi. Nous déjeunerons au Relais de Touraine, un excellent restaurant. Après le déjeuner, nous passerons l'après-midi à Tours. Le retour vers Paris est prévu à 19 heures.
4. Le train à destination de Lille partira à 14 h 57, voie 12.

Page 99
Exercice : expression du futur
1. - Qu'est-ce que tu vas faire, ce week-end ?
   - Samedi, la fête, dimanche, rien.
2. - Tu es libre demain ?
   - Oui, pourquoi ?
3. - Bon, à bientôt ! Je vous téléphonerai.
4. - Qu'est-ce que vous allez faire maintenant ?
   - Je vais écrire un livre.
5. - Voilà, j'ai terminé mon travail. Ça ira ?
   - Ça ira !
6. - Demain, je ne suis pas là !
   - Ah bon ?
   - Oui, j'ai un rendez-vous d'affaires…
   - Ah bon…
7. - Mademoiselle Lebrun ? Je serai absent jusqu'à jeudi. Est-ce que vous pourrez me transférer toutes mes communications téléphoniques au 01 44 54 67 69 ?
   - Pas de problème !
8. - On sera combien pour le repas de demain ?
   - Il y aura les Dupont du Bujadier et leur fille, tes parents et ta sœur, il y aura aussi Lucie, Olivier, Marco, Ibrahim, Alfonso, toi et moi !

- Treize à table, ça porte malheur !
- Alors, invite Joëlle !
9. - Il revient quand, ton frère ?
   - La semaine prochaine.
10. - Qu'est-ce que vous allez faire ?
    - Rien, attendre…

Page 100
Un agenda bien rempli
Dialogue témoin :
- Monsieur Laurent ? Monsieur Leroy a téléphoné. Il voudrait vous parler.
- Je lui téléphonerai demain en fin de matinée.
1. - Allô, Pierre ? Ici Sergio Gonzales.
   - Bonjour Sergio. Quelle surprise !
   - Je suis à Paris pour quelques jours. J'aimerais vous saluer.
   - Vous êtes à quel hôtel ?
   - À l'hôtel PLM.
   - Bon, si vous êtes d'accord, je passerai demain matin vers 8 h 30 et nous prendrons le petit déjeuner ensemble.
   - D'accord. À demain !
2. - Mademoiselle Laforêt ? Demain, je serai absent de 15 h à 16 h 30 : je vais chez le dentiste.
   - Ah ! Monsieur Lemoine veut vous voir. C'est urgent !
   - J'irai le voir à son bureau vers 16 h 30. C'est à deux minutes à pied de chez le dentiste.
3. - Allô, chéri ? On va au cinéma, ce soir ?
   - Ah non, Simone, pas ce soir. Je suis fatigué. On ira demain, à la séance de 21 h.
4. - Mademoiselle Laforêt ? Vous pourriez envoyer un fax à Sylvie Legrand ? C'est d'accord pour le repas de demain. Je la retrouverai vers midi et demi à la brasserie *Lipp*.
   - Bien, monsieur Laurent.
   - Ah ! j'oubliais ! Vous pouvez faire une petite affiche ? La réunion du conseil d'administration aura lieu exceptionnellement dans la salle de conférence de 10 h à midi.
   - Bien, monsieur.

Page 101
Parler de la pluie et du beau temps
Dialogue témoin :
Climat chaud et humide sur toute la Guadeloupe où les températures seront comprises entre 28 et 35°C.
1. Il fera beau et chaud sur la Côte d'Azur et le Sud-Est où les températures seront comprises entre 18 et 28°C.
2. Il y aura de la pluie et des orages ce matin du Sud-Ouest à l'Auvergne.
3. Il y aura de fortes chutes de neige dans les Alpes et le Massif central, au-dessus de 800 mètres.
4. Avis de tempête sur la Bretagne : les vents souffleront à plus de 120 km/h.

Page 102
Exercice : situer de façon précise
1. - Allô ? l'aéroport de Roissy ? À quelle heure arrive le vol 806 de Mexico, s'il vous plaît ?

- À 6 h 45. Non, attendez, il est retardé : il arrive à 7 h 45.
2. - Allô ? Michel ? Je peux passer ce soir ?
   - Oui, à quelle heure ?
   - Oh, 8 h, 8 h et demie ?
   - OK, à ce soir.
3. Est-ce que je peux vous rappeler dans… une semaine ?
4. - Allô ? C'est pour une réservation…
   - Oui, madame.
   - Je voudrais une table pour deux, pour ce soir, à 21 h.
5. - Vous pouvez venir ?
   - Oui. Je passe vous voir dans la matinée.
6. - Quand est-ce qu'on se revoit ?
   - Dans une quinzaine de jours.
7. - On se retrouve à quelle heure ?
   - Oh, vers 8 h.
8. - Il est quelle heure ?
   - Midi pile.

Page 102
Phonétique : [k] / [g]
1. Le colloque a lieu à Caen.
2. Ils sont dans la même classe.
3. Ce matin, le ciel était tout gris.
4. Ta Cathie t'a quitté ?
5. J'habite à Gand.
6. Et pour le dessert, une glace ?
7. C'est un bon guitariste.
8. Il est à qui, ce sac ?
9. C'est qui ? Ah, c'est toi Carole !
10. Je vais passer la journée à Copacabana.

Page 104
Évaluation : compréhension orale
1. - Allô ? Marion ? J'ai deux places pour le concert de Touré Kunda demain soir, tu viens avec moi ?
   - Touré Kunda ? C'est de la musique du Mexique, ça ?
   - Mais non, ils viennent du Sénégal !
2. - Tiens ! Bonjour Suzy ! Comment va ton mari ?
   - Ben, il n'est pas allé au bureau, il est à la maison, il dort. Le docteur est venu.
   - Et alors ?
   - Ben, il est malade, une mauvaise grippe…
   - Oh, j'espère qu'il ira mieux demain soir, on fait une fête à la maison !
   - On verra.
3. - Mesdames et messieurs, votre attention, s'il vous plaît ! On a trouvé un sac avec des clés de voiture dans la salle de la cantine. La personne qui les a perdues peut venir les chercher dans le bureau de la secrétaire du directeur.
   - Qu'est-ce qu'elle a dit ?
   - Je ne sais pas, je n'ai pas entendu. Elle parlait du directeur.
4. - Tu as vu l'heure ? Qu'est-ce qui t'es arrivé ?
   - Oh ! là, là ! ce matin, je suis parti de chez moi à 8 h pile, comme d'habitude. Et puis, j'ai attendu le métro, comme d'habitude, et il n'est pas venu.
   - Et ben pourquoi ?

- Je ne sais pas, il y avait peut être un accident.
   - Alors qu'est-ce que tu as fait ?
   - Ben, je suis sorti du métro, et j'ai pris l'autobus…

Page 106
DELF A1
1. Allô, Marc, c'est Julie. C'est d'accord pour ce soir. On se retrouve devant le cinéma de l'avenue de la République à 7 heures et demie. Je viendrai avec Lucie. Salut.
2. - Cabinet du docteur Mercier, bonjour !
   - Bonjour, madame, c'est madame Duval. Je voudrais un rendez-vous pour mon fils, jeudi, à 19 heures. C'est possible ?
   - Désolé, jeudi, ce n'est pas possible. Mais vous pouvez mardi de la semaine prochaine, à 18 heures 30 ?
   - D'accord. À mardi prochain, alors.
3. - Agence LMHT, bonjour !
   - Bonjour. Je cherche une location pour le mois de juillet.
   - Oui, dans quelle région ?
   - En Provence, à la campagne.
   - Vous cherchez une maison ? un appartement ?
   - Une maison. Nous sommes sept. Pas loin d'une petite ville.
   - Attendez, je cherche…
4. - Excusez-moi, je suis très pressé, mon train part dans 10 minutes.
   - Vous allez où ?
   - À Rennes. Je voudrais un aller en seconde pour maintenant et un retour pour la semaine prochaine. Mardi prochain par le train de 15 h 17, c'est possible ?
   - Oui. Fumeurs ? non-fumeurs ?
   - Non-fumeurs.
   - Il n'y a plus de place en non-fumeurs.
5. Il nous reste trois places gratuites pour le concert d'Arthur H le 20 janvier à l'Olympia. Les personnes intéressées doivent téléphoner immédiatement et venir chercher les billets à la Maison de la radio avant 19 h, mardi prochain.
6. - Qu'est-ce qu'il fait, ton père, Marie ?
   - Il est prof de maths.
   - C'est génial ! Il t'aide à faire tes devoirs. C'est pour ça que tu as de bonnes notes !
   - Mais non ! Mon père refuse de m'aider. Je travaille toute seule. J'aime les maths, c'est tout.
   - Tu travailles beaucoup, alors ?
   - Ben, non…

Page 108
Exercice 6
Appartement à louer
- Salut, Marianne, ça va ? Alors, tu as trouvé un appartement ?
- Oui, ça y est, j'ai trouvé un superbe deux pièces !
- Comment tu as trouvé ?
- Par Internet.
- Qu'est-ce que tu cherchais ?

- Un deux pièces pas trop cher et pas loin de l'endroit où je travaille.
- Il y avait des choses intéressantes sur Internet ?
- Il y avait un deux pièces, à 3 200 francs, dans le sud de Paris. Le prix était intéressant mais c'était vraiment trop loin pour moi. Tu sais, je travaille à l'aéroport Charles de Gaulle. Il y avait aussi un grand deux pièces, mais trop cher, à 4 500 francs. Et puis, il y avait un appartement à 3 500 francs, avec 2 grandes pièces, une kitchenette et un balcon. J'ai téléphoné à l'agence, j'ai visité l'appartement, et voilà.
- C'est pratique pour ton travail ?
- Je suis à vingt minutes de l'aéroport.

Page 108
Exercice 8
Passé / futur
1. J'ai rendez-vous avec Mathilde demain.
2. On a cherché longtemps mais on a trouvé un très bon restaurant.
3. Je ne suis pas là demain.
4. J'ai beaucoup mangé à midi.
5. J'ai rencontré Éric. Il est en pleine forme.
6. Je suis revenu chez moi à minuit.
7. Je vais partir deux jours à la campagne.
8. Je l'ai revu il y a trois jours.

Page 110
Exercice 18
Phonétique
1. Jamais le dimanche.
2. Tu travailles vendredi ?
3. Je hais les lundis !
4. J'ai un professeur sympa.

5. Pierre, il habite à Melun ?
6. En juillet, je vais à la campagne.
7. Nous sommes le 20 mai.
8. On se retrouve à 11 h ?
9. C'est vraiment génial !
10. Alors, on se voit chez Léon, ce soir ?

Page 110
Exercice 19
Passé / présent / futur
1. Paul arrive la semaine prochaine.
2. Nous partons aux Antilles à Noël.
3. J'ai rencontré Pierre ce matin au café.
4. Je n'ai rien fait aujourd'hui.
5. Aujourd'hui, je suis très fatigué.
6. Allez, à tout à l'heure !
7. Ce film est passé au Rex la semaine dernière.
8. Ça ira mieux demain.

Page 110
Exercice 20
Pourrais-je parler à... ?
1. Non, monsieur Marceau est en réunion jusqu'à 12 h 30. Téléphonez dans 10 minutes.
2. Il est parti en voyage et revient dans deux jours.
3. Il a une réunion jusqu'à midi. Téléphonez cet après-midi, après 15 h.
4. Monsieur Marceau est parti déjeuner. Il revient dans un quart d'heure, retéléphonez à 13 h.
5. Monsieur Marceau donne son cours... Non, on ne peut pas le déranger pendant le cours... C'est urgent ?... Écoutez, il a cours jusqu'à 11 heures et demie, retéléphonez dans 10 minutes.
6. Le secrétariat de l'université est

ouvert du lundi au vendredi de 9 h à 13 h et de 14 h à 17 h.

Page 110
Exercice 21
Présent, passé, futur
Série 1 :
1. - Pourquoi tu travailles à Paris maintenant ?
   - Parce que, maintenant, je suis réceptionniste à la tour Eiffel.
2. - Qu'est-ce que tu as fait, hier ?
   - J'ai acheté un ordinateur pour mon travail.
3. - En juillet, vous partez en vacances ?
   - Non, on ne peut pas partir en vacances, on va déménager. On va habiter rue Lepic, à Montmartre.
Série 2 :
1. - Pourquoi tu manges des escargots ?
   - C'est bon ! Tu veux goûter ?
   - Beurk !
2. - On mange ensemble, lundi ?
   - Impossible, lundi, je vais rester au bureau pour travailler.
3. - Hier, on a mangé un excellent couscous. Après, on a dansé toute la nuit.
   - Ah bon ? et où ?
Série 3 :
1. - Qu'est-ce que tu fais, aujourd'hui ?
   - Ben, tu vois, je travaille.
   - Dommage.
2. - Demain, tu travailles aussi ?
   - Non, demain, je vais aller à la campagne.
3. - Tu as passé un bon week-end ?
   - Oui, super ! J'ai pas travaillé et j'ai fait la fête.

Conjugaisons

	PRÉSENT	IMPARFAIT	PASSÉ COMPOSÉ	FUTUR	CONDITIONNEL
manger	je mange tu manges il mange nous mangeons vous mangez ils mangent	je mangeais tu mangeais il mangeait nous mangions vous mangiez ils mangeaient	j' ai mangé tu as mangé il a mangé nous avons mangé vous avez mangé ils ont mangé	je mangerai tu mangeras il mangera nous mangerons vous mangerez ils mangeront	je mangerais tu mangerais il mangerait nous mangerions vous mangeriez ils mangeraient
appeler	j' appelle tu appelles il appelle nous appelons vous appelez ils appellent	j' appelais tu appelais il appelait nous appelions vous appeliez ils appelaient	j' ai appelé tu as appelé il a appelé nous avons appelé vous avez appelé ils ont appelé	j' appellerai tu appelleras il appellera nous appellerons vous appellerez ils appelleront	j' appellerais tu appellerais il appellerait nous appellerions vous appelleriez ils appelleraient
acheter	j' achète tu achètes il achète nous achetons vous achetez ils achètent	j' achetais tu achetais il achetait nous achetions vous achetiez ils achetaient	j' ai acheté tu as acheté il a acheté nous avons acheté vous avez acheté ils ont acheté	j' achèterai tu achèteras il achètera nous achèterons vous achèterez ils achèteront	j' achèterais tu achèterais il achèterait nous achèterions vous achèteriez ils achèteraient
envoyer	j' envoie tu envoies il envoie nous envoyons vous envoyez ils envoient	j' envoyais tu envoyais il envoyait nous envoyions vous envoyiez ils envoyaient	j' ai envoyé tu as envoyé il a envoyé nous avons envoyé vous avez envoyé ils ont envoyé	j' enverrai tu enverras il enverra nous enverrons vous enverrez ils enverront	j' enverrais tu enverrais il enverrait nous enverrions vous enverriez ils enverraient
payer	je paye / paie tu payes / paies il paye / paie nous payons vous payez ils payent / paient	je payais tu payais il payait nous payions vous payiez ils payaient	j' ai payé tu as payé il a payé nous avons payé vous avez payé ils ont payé	je payerai / paierai tu payeras / paieras il payera / paiera nous payerons / paieront vous payerez / paierez ils payeront / paieront	je payerais / paierais tu payerais / paierais il payerait / paierait nous payerions / paieriont vous payeriez / paieriez ils payeraient / paieraient
aller	je vais tu vas il va nous allons vous allez ils vont	j' allais tu allais il allait nous allions vous alliez ils allaient	je suis allé tu es allé il est allé nous sommes allés vous êtes allés ils sont allés	j' irai tu iras il ira nous irons vous irez ils iront	j' irais tu irais il irait nous irions vous iriez ils iraient
offrir	j' offre tu offres il offre nous offrons vous offrez ils offrent	j' offrais tu offrais il offrait nous offrions vous offriez ils offraient	j' ai offert tu as offert il a offert nous avons offert vous avez offert ils ont offert	j' offrirai tu offriras il offrira nous offrirons vous offrirez ils offriront	j' offrirais tu offrirais il offrirait nous offririons vous offririez ils offriraient
dormir	je dors tu dors il dort nous dormons vous dormez ils dorment	je dormais tu dormais il dormait nous dormions vous dormiez ils dormaient	j' ai dormi tu as dormi il a dormi nous avons dormi vous avez dormi ils ont dormi	je dormirai tu dormiras il dormira nous dormirons vous dormirez ils dormiront	je dormirais tu dormirais il dormirait nous dormirions vous dormiriez ils dormiraient

VERBES EN -ER (manger, appeler, acheter, envoyer, payer, aller)

VERBES EN -IR (offrir, dormir)

	PRÉSENT	IMPARFAIT	PASSÉ COMPOSÉ	FUTUR	CONDITIONNEL
VERBES EN -IR	**fin**ir je finis tu finis il finit nous finissons vous finissez ils finissent	je finissais tu finissais il finissait nous finissions vous finissiez ils finissaient	j' ai fini tu as fini il a fini nous avons fini vous avez fini ils ont fini	je finirai tu finiras il finira nous finirons vous finirez ils finiront	je finirais tu finirais il finirait nous finirions vous finiriez ils finiraient
	venir je viens tu viens il vient nous venons vous venez ils viennent	je venais tu venais il venait nous venions vous veniez ils venaient	je suis venu tu es venu il est venu nous sommes venus vous êtes venus ils sont venus	je viendrai tu viendras il viendra nous viendrons vous viendrez ils viendront	je viendrais tu viendrais il viendrait nous viendrions vous viendriez ils viendraient
VERBES EN -IRE	**di**re je dis tu dis il dit nous disons vous dites ils disent	je disais tu disais il disait nous disions vous disiez ils disaient	j' ai dit tu as dit il a dit nous avons dit vous avez dit ils ont dit	je dirai tu diras il dira nous dirons vous direz ils diront	je dirais tu dirais il dirait nous dirions vous diriez ils diraient
	lire je lis tu lis il lit nous lisons vous lisez ils lisent	je lisais tu lisais il lisait nous lisions vous lisiez ils lisaient	j' ai lu tu as lu il a lu nous avons lu vous avez lu ils ont lu	je lirai tu liras il lira nous lirons vous lirez ils liront	je lirais tu lirais il lirait nous lirions vous liriez ils liraient
	écrire j' écris tu écris il écrit nous écrivons vous écrivez ils écrivent	j' écrivais tu écrivais il écrivait nous écrivions vous écriviez ils écrivaient	j' ai écrit tu as écrit il a écrit nous avons écrit vous avez écrit ils ont écrit	j' écrirai tu écriras il écrira nous écrirons vous écrirez ils écriront	j' écrirais tu écrirais il écrirait nous écririons vous écririez ils écriraient
	rire je ris tu ris il rit nous rions vous riez ils rient	je riais tu riais il riait nous riions vous riiez ils riaient	j' ai ri tu as ri il a ri nous avons ri vous avez ri ils ont ri	je rirai tu riras il rira nous rirons vous rirez ils riront	je rirais tu rirais il rirait nous ririons vous ririez ils riraient
VERBES EN -OIR	**v**oir je vois tu vois il voit nous voyons vous voyez ils voient	je voyais tu voyais il voyait nous voyions vous voyiez ils voyaient	j' ai vu tu as vu il a vu nous avons vu vous avez vu ils ont vu	je verrai tu verras il verra nous verrons vous verrez ils verront	je verrais tu verrais il verrait nous verrions vous verriez ils verraient
	recevoir je reçois tu reçois il reçoit nous recevons vous recevez ils reçoivent	je recevais tu recevais il recevait nous recevions vous receviez ils recevaient	j' ai reçu tu as reçu il a reçu nous avons reçu vous avez reçu ils ont reçu	je recevrai tu recevras il recevra nous recevrons vous recevrez ils recevront	je recevrais tu recevrais il recevrait nous recevrions vous recevriez ils recevraient

	PRÉSENT	IMPARFAIT	PASSÉ COMPOSÉ	FUTUR	CONDITIONNEL
VERBES EN -OIR	**avoir** j' ai tu as il a nous avons vous avez ils ont	j' avais tu avais il avait nous avions vous aviez ils avaient	j' ai eu tu as eu il a eu nous avons eu vous avez eu ils ont eu	j' aurai tu auras il aura nous aurons vous aurez ils auront	j' aurais tu aurais il aurait nous aurions vous auriez ils auraient
	savoir je sais tu sais il sait nous savons vous savez ils savent	je savais tu savais il savait nous savions vous saviez ils savaient	j' ai su tu as su il a su nous avons su vous avez su ils ont su	je saurai tu sauras il saura nous saurons vous saurez ils sauront	je saurais tu saurais il saurait nous saurions vous sauriez ils sauraient
	devoir je dois tu dois il doit nous devons vous devez ils doivent	je devais tu devais il devait nous devions vous deviez ils devaient	j' ai dû tu as dû il a dû nous avons dû vous avez dû ils ont dû	je devrai tu devras il devra nous devrons vous devrez ils devront	je devrais tu devrais il devrait nous devrions vous devriez ils devraient
	vouloir je veux tu veux il veut nous voulons vous voulez ils veulent	je voulais tu voulais il voulait nous voulions vous vouliez ils voulaient	j' ai voulu tu as voulu il a voulu nous avons voulu vous avez voulu ils ont voulu	je voudrai tu voudras il voudra nous voudrons vous voudrez ils voudront	je voudrais tu voudrais il voudrait nous voudrions vous voudriez ils voudraient
	pouvoir je peux tu peux il peut nous pouvons vous pouvez ils peuvent	je pouvais tu pouvais il pouvait nous pouvions vous pouviez ils pouvaient	j' ai pu tu as pu il a pu nous avons pu vous avez pu ils ont pu	je pourrai tu pourras il pourra nous pourrons vous pourrez ils pourront	je pourrais tu pourrais il pourrait nous pourrions vous pourriez ils pourraient
VERBES EN -OIRE	**boire** je bois tu bois il boit nous buvons vous buvez ils boivent	je buvais tu buvais il buvait nous buvions vous buviez ils buvaient	j' ai bu tu as bu il a bu nous avons bu vous avez bu ils ont bu	je boirai tu boiras il boira nous boirons vous boirez ils boiront	je boirais tu boirais il boirait nous boirions vous boiriez ils boiraient
	croire je crois tu crois il croit nous croyons vous croyez ils croient	je croyais tu croyais il croyait nous croyions vous croyiez ils croyaient	j' ai cru tu as cru il a cru nous avons cru vous avez cru ils ont cru	je croirai tu croiras il croira nous croirons vous croirez ils croiront	je croirais tu croirais il croirait nous croirions vous croiriez ils croiraient
VERBES EN -AIRE	**plaire** je plais tu plais il plaît nous plaisons vous plaisez ils plaisent	je plaisais tu plaisais il plaisait nous plaisions vous plaisiez ils plaisaient	j' ai plu tu as plu il a plu nous avons plu vous avez plu ils ont plu	je plairai tu plairas il plaira nous plairons vous plairez ils plairont	je plairais tu plairais il plairait nous plairions vous plairiez ils plairaient

	PRÉSENT	IMPARFAIT	PASSÉ COMPOSÉ	FUTUR	CONDITIONNEL
VERBES EN -AIRE	**faire** je fais tu fais il fait nous faisons vous faites ils font	je faisais tu faisais il faisait nous faisions vous faisiez ils faisaient	j' ai fait tu as fait il a fait nous avons fait vous avez fait ils ont fait	je ferai tu feras il fera nous ferons vous ferez ils feront	je ferais tu ferais il ferait nous ferions vous feriez ils feraient
VERBES EN -DRE	**prendre** je prends tu prends il prend nous prenons vous prenez ils prennent	je prenais tu prenais il prenait nous prenions vous preniez ils prenaient	j' ai pris tu as pris il a pris nous avons pris vous avez pris ils ont pris	je prendrai tu prendras il prendra nous prendrons vous prendrez ils prendront	je prendrais tu prendrais il prendrait nous prendrions vous prendriez ils prendraient
	perdre je perds tu perds il perd nous perdons vous perdez ils perdent	je perdais tu perdais il perdait nous perdions vous perdiez ils perdaient	j' ai perdu tu as perdu il a perdu nous avons perdu vous avez perdu ils ont perdu	je perdrai tu perdras il perdra nous perdrons vous perdrez ils perdront	je perdrais tu perdrais il perdrait nous perdrions vous perdriez ils perdraient
VERBES EN -VRE	**suivre** je suis tu suis il suit nous suivons vous suivez ils suivent	je suivais tu suivais il suivait nous suivions vous suiviez ils suivaient	j' ai suivi tu as suivi il a suivi nous avons suivi vous avez suivi ils ont suivi	je suivrai tu suivras il suivra nous suivrons vous suivrez ils suivront	je suivrais tu suivrais il suivrait nous suivrions vous suivriez ils suivraient
	vivre je vis tu vis il vit nous vivons vous vivez ils vivent	je vivais tu vivais il vivait nous vivions vous viviez ils vivaient	j' ai vécu tu as vécu il a vécu nous avons vécu vous avez vécu ils ont vécu	je vivrai tu vivras il vivra nous vivrons vous vivrez ils vivront	**viv** je vivrais tu vivrais il vivrait nous vivrions vous vivriez ils vivraient
VERBES EN -TRE	**mettre** je mets tu mets il met nous mettons vous mettez ils mettent	je mettais tu mettais il mettait nous mettions vous mettiez ils mettaient	j' ai mis tu as mis il a mis nous avons mis vous avez mis ils ont mis	je mettrai tu mettras il mettra nous mettrons vous mettrez ils mettront	je mettrais tu mettrais il mettrait nous mettrions vous mettriez ils mettraient
	naître je nais tu nais il naît nous naissons vous naissez ils naissent	je naissais tu naissais il naissait nous naissions vous naissiez ils naissaient	je suis né tu es né il est né nous sommes nés vous êtes nés ils sont nés	je naîtrai tu naîtras il naîtra nous naîtrons vous naîtrez ils naîtront	je naîtrais tu naîtrais il naîtrait nous naîtrions vous naîtriez ils naîtraient
	être je suis tu es il est nous sommes vous êtes ils sont	j' étais tu étais il était nous étions vous étiez ils étaient	j' ai été tu as été il a été nous avons été vous avez été ils ont été	je serai tu seras il sera nous serons vous serez ils seront	je serais tu serais il serait nous serions vous seriez ils seraient

Table des matières

Imprimé en France par I.M.E. - 25110 Baume-les-Dames
N° dépôt légal : 21298-4985/07
Janvier 2005